Los delitos insignificantes

Álvaro Pombo

Los delitos
insignificantes

EDITORIAL ANAGRAMA

BARCELONA

Diseño de la colección:
Julio Vivas
Ilustración: foto © The Shipyard

Primera edición en «Narrativas hispánicas»: mayo 1986
Primera edición en «Compactos»: mayo 2002

© EDITORIAL ANAGRAMA, S.A., 2002
   Pedró de la Creu, 58
   08034 Barcelona

ISBN: 84-339-6720-7
Depósito Legal: B. 19086-2002

Printed in Spain

Liberduplex, S.L., Constitució, 19, 08014 Barcelona

—*Excuse me* —aventuró Quirós, por fin—. *Have you got the time?*

—Sí, claro. Son las seis menos cinco —contestó Ortega.

— ¡Qué calor, eh! —Quirós sonreía.

—Bueno, lo normal. Treinta y seis grados. Estamos ya a dieciocho de julio... —Ortega se había vuelto hacia Quirós, había dejado sobre la mesilla el ejemplar de *Cambio-16* de esa semana.

Era en la Gran Vía. El gentío de media tarde. Verosimilitud e inverosimilitud intercambiaban velozmente sus papeles. El rostro un poco graso de Francisco Fernández Ordóñez ocupaba toda la portada del semanario. Los ojos castaños, los labios sensuales, los años cambiantes. Era una buena fotografía en color. Se distinguían, incluso, los brotes de la barba.

— ¡Pues yo estoy pasando mucho calor este verano! —los bellos ojos mediterráneos de Quirós brillaban negros, amables, como en una foto de una guía turística. Ortega se acordó de un botones de un hotel de Sitges.

—¿Preguntas siempre la hora en inglés? —preguntó Ortega.

—Me pareció que era usted inglés. Extranjero. No parece usted hispano —contestó Quirós.

—Pues lo soy. Siento desilusionarte —Ortega se estaba divirtiendo. Por eso añadió—: Tú, en cambio, eres inconfundiblemente hispano. O italiano. Todo, menos extranjero.

5

—Siento desilusionarle.

—Todo lo contrario. Las razas rubicundas me aburren siempre mucho. ¡No hay como una chispa de sangre agarena para animar un semblante! Que somos todos medio moros, vaya... —Quirós arrastró su silla, se acercó a Ortega. El vaso alto del granizado de limón ya consumido se tambaleó en la mesilla de Quirós al arrastrar la silla. El gentío de media tarde iba y venía lentamente por la Gran Vía de un Madrid rosáceo.

—Eso, medio moros, medio judíos, medio cristianos, irremisiblemente sentimentales y confusos todos nosotros —dijo Ortega.

—¿Ese también? —Quirós indicó con el dedo la fotografía de Fernández Ordóñez.

—Ese más que nadie —exclamó Ortega, riendo—. *Made in Spain* de cabo a rabo.

—¿Y qué? ¿Usted cómo lo ve? «¿Hombre de estado o camaleón político?»

—¡Hombre de estado, hombre de estado, no faltaba más, y además, miel sobre hojuelas, que encima lee a Pessoa!

—¡Ya será menos! —Quirós estaba encantado. Un cierto escepticismo en materia política no podía menos de realzar aquella inusitada ocasión.

—¿Por qué dices eso? ¿Qué tienes contra Fernández Ordóñez? —Ortega suspiró al decir esto. Pensó que su papel aquella tarde era muy fácil de representar. Y muy satisfactorio. Un hombre maduro con, todavía, mucha juventud, con ilusiones. El correlato objetivo, en versión de a pie, del nuevo ministro de Asuntos Exteriores—. Estoy seguro de que es un hombre a carta cabal...

—Debe ser listo. Siempre cae de pie, como los gatos. A ése no le falta empleo...

—¡Claro que no! ¿Por qué le iba a faltar? Sacó su oposición, es trabajador, es listo, lee a Pessoa, tiene experiencia política, lo suyo es que esté donde está, ¿no te parece?

—Si usted lo dice...

—Además, mira, es muy madrileño, tiene encanto...

—¿Le conoce usted personalmente?

—Verás, te voy a contar una anécdota... —Ortega sacó un paquete de Ducados. Quirós sacó un paquete de Fortuna. Los dos dejaron sus paquetes encima de sus respectivas mesas. El tiempo apenas se veía. El calor apenas se sentía. Relucía intensamente el gentío de la sesión de las siete en las escalinatas del Lope de Vega. Ortega sonreía al expulsar el humo de su primera calada. Quirós sonreía sin querer, como en vano, velozmente de regreso a sus dieciocho, con casi veinticinco.

—No sé cómo puede usted fumar eso...

—¿Los Ducados? Llevo años fumándolos. No me sabe a nada lo demás, ni siquiera el canario... Son costumbres. Que somos animales de costumbres. No hay que darle vueltas...

—Le he interrumpido, perdone. Iba a contarme una anécdota...

Quirós acercó un poco más aún su silla a la de Ortega. Ortega fingió no acordarse de qué hablaban. Era divertido aquello. Como en sus propias novelas, quince años atrás. Un encuentro en la Gran Vía. Una conversación improvisada, un dieciocho de julio, a treinta y seis grados de máxima y veinte de mínima. Un diálogo irreprochablemente realista. Un cierto distanciamiento estético, a mayores. Un entretenimiento narrativamente plausible.

—Una anécdota, sí. ¿De qué estábamos hablando?

—De Fernández Ordóñez...

—Claro, claro. Eso es. Una anécdota que da una idea del personaje, del ser humano, mejor dicho. Te parecerá una tontería. Pero a mí me gusta contarla porque es algo que me ocurrió a mí. A mí personalmente. Es de primera mano...

—¡Ah, o sea que le conoce usted personalmente!

—A eso voy. Fue con ocasión de un homenaje a José Luis Aranguren. Todavía no había empezado. Y estaba yo allí, de pie junto al estrado hablando con Aranguren. En esto se acercó Fernández Ordóñez. Y en ese momento otra persona, no sé quién, se acercó a saludar a Aranguren. Total que quedamos Fernández Ordóñez y yo, pues el uno frente al otro, en silencio. Te confieso que yo me quedé cortado. Iba a decirle mi nombre y él se ade-

7

lantó y me dio la mano diciendo: soy Francisco Fernández Ordóñez. Lo cual era obvio. No hubiera hecho falta que dijera nada.
Me pareció un buen detalle. Muy natural, muy sin pretensiones. Me gustó aquello... Luego ya nos presentó Aranguren,
claro...

—Ya veo que está usted metido en todo el rollo —dijo
Quirós.

Aquello era fascinante. Los dos pensaron: esto es fascinante.
Ortega se sentía confortablemente adulto. Quirós, audazmente,
aniñado. Todos los datos, incluso los no dados, los posibles, resultaban a la vez presentes. Una verosimilitud trivial, vespertina,
inefable.

—Bueno, ya no. Estuve, estuve... Hace años. Hace quince
años. En el rollo. Ahora no. Lo de Aranguren era una ocasión
especial. Hace muchos años que le conozco...

—¿Es usted escritor? —preguntó Quirós.

—Lo fui —contestó Ortega sonriente.

Todos los efectos especiales estaban dando resultado. No hacía
falta esforzarse. Sólo dejarse ir. Dejarse llevar por la conversación. Como una noche afortunada en casa, sentado ante su máquina de escribir, en su séptimo piso, en primavera, a finales, escribiendo de un tirón un relato. «Ese terrible esfuerzo y la alegría
de ver cómo la historia iba desarrollándose ante mí, cómo iba
avanzando sobre las aguas.» Ortega se avergonzó de recordar a
Kafka en un contexto como el presente, tan barato. Pero, ¿por
qué barato?, se preguntaba Ortega de buen humor. Se sentía ins-
pirado aquella tarde. ¿Había llegado tal vez aquella tarde la inspiración por fin, la buena suerte? Ortega pensó velozmente que no
había motivo ninguno para desbarrar tan deprisa. Quirós, pendiente de aquel dramático «lo fui», le contemplaba fijamente. Ya
no era ningún niño.

—Lo fue, o sea que lo es... —comentó Quirós, radiante.

—Una conclusión muy poco válida ésa, ¿no te parece? ¿Por
qué querías saber la hora?

8

—¡Ah, la hora! Es que no llevo reloj. He quedado con mi novia...

—¡Ajá! —comentó Ortega.

—Pero luego, luego más tarde, mucho más tarde. Ella es que es secretaria. Trabaja hasta las siete. Hemos quedado en ir al cine a la última sesión. Casi más por la refrigeración que por la película, yo por lo menos...

A Ortega le divertía el tono de la contestación más que nada. Todo, aquella tarde, era cuestión de tonos, de impulsos. Un acontecimiento estrictamente musical.

—Entonces todavía tienes tiempo. ¿A qué hora habéis quedado?

—En Callao a las diez —mintió Quirós, que no había quedado con Cristina, su novia, aquella tarde.

Una mentira impulsiva que parecía pertenecer a la urdimbre de todo aquel diálogo como una simple pieza justa de un redondo conjunto viviente. Una mentira que, al ser parte de una nueva totalidad verbal, imaginaria, no era tal mentira, sino más bien parte de la verdad que transcurría al fondo. Había que seguir a toda costa. Y que hubiera que seguir y no más bien irse les parecía a los dos, en aquel instante, imperativo. Siempre pasa lo mismo en estos casos.

—Ha dicho usted... —siguió Quirós— Bueno, yo me llamo César, César Quirós...

—Gonzalo Ortega, encantado.

—Encantado —repitió Quirós.

—Encantados, pues. Una mala manera de empezar —comentó Ortega.

—¿Mala? ¿Por qué mala? ¿Por qué mala? Yo diría todo lo contrario...

—Eso es porque tienes veinte años...

—De veinte, nada. Veinticuatro.

—Representas veinte —insistió Ortega.

Y en aquel momento pensó que no tenía nada que perder. Ni nada que ganar. Ortega se sentía en aquel momento en paz consigo mismo, a sabiendas de que este sentimiento siempre es ilusorio. Y saber que sabía eso aumentaba la sensación de paz en vez de restringirla.

—Para ser exactos —dijo Ortega— representas veinte pero pareces mayor por la manera de hablar...

—¿Ah, sí? ¿Y qué manera es ésa?

—Es difícil decirlo... —Ortega se quedó pensativo y, sin poderlo remediar y sin venir a cuento, añadió—: Es difícil decir exactamente cualquier cosa, *decirla* siempre es un tormento. Por clara que la veas, por cerca que la tengas... Cualquier actividad humana es más fácil que el decir sencillamente una cosa... Por eso dejé de escribir hace quince años.

Quirós guardaba silencio. Y el atardecer era más leve. Más dorado y florido cada vez. Y más tierno. Y más —paradójicamente— abstracto. Reducido a su luz inmemorial. Y todo era sonriente, excepto tal vez el tiempo que pasaba como un anzuelo de platino y que se engarma en la lejana flora parda, submarina, del corazón vacío del fondo de las tardes de verano.

—¿Por qué me miras así? —preguntó Ortega.

—Le miro ¿cómo?

—Así, tan fijamente. ¿He dicho algo de más?

—No, no. Nada de más. Perdone si le miro fijamente. No he conocido nunca, o sea, encontrado a nadie como usted. Es la primera vez...

—También es la primera vez que yo hablo así —confesó Ortega—. Y esta locuacidad no puede ser fruto del granizado de limón. Tiene que ser fruto de la conciencia pura ante sí misma, o si no, a ver...

—Yo, lo que usted diga —dijo Quirós.

—¿Sabes que hace, no sé, años ya que no hablo con nadie? Con nadie. Se dice pronto. Pero ésa es la verdad. La verdad es que si yo fuera otro, si yo fuera tú, jamás hubiera hablado conmigo en la Gran Vía...

—Es usted muy pesimista...

—No creas. Realista. Sólo realista. Cuéntame algo de tu vida...

—Es que no hay mucho que contar. No creo que le interese mucho...

—Me interesa mucho...

—Es más interesante hablar con usted que con mi novia... Y es una chica maja, eh. Vale más que yo. Siempre lo digo. Pero hablar, no hablamos. Lo que se dice hablar. Ella es secretaria...

—Ya. Ya me lo has dicho. Muy bonita profesión...

—Ahora me está usted tomando el pelo...

—¡Dios me libre!

—¡Qué conversación más desordenada!

—Las mejores conversaciones son así... —dijo Ortega.

Eran las ocho treinta de la tarde. Una gran caída de la tarde. Era un conjunto cerrado todo ello. No había escapatoria ni alternativa. Había que seguir.

—Hoy en día —comentó Quirós con aire sensato— la juventud apenas habla...

—Pues tú sí que hablas...

—Yo es que ya no soy tan joven...

—Joven de sobra.

—Para usted, a lo mejor.

—No me trates de usted, hazme el favor. Apea el tratamiento...

—Yo apeo lo que sea, el tratamiento y lo que sea...

—Trátame de tú.

—Como usted quiera, o sea, como tú quieras...

—Son ya casi las nueve —dijo Ortega—. Dentro de una hora te encontrarás con tu novia.

—Eso.

—Tiene que ser bonito encontrarse con una novia ahí en Callao... Me encantaría andar así...

—Será porque no quiere...

—Ya. En fin... Voy a tener que irme... Camarero, ¿cuánto es?

—¿Sólo lo suyo, caballero?

—Lo de los dos. Lo del señor y lo mío.

—Dos granizados de limón. Son trescientas pesetas.

— ¡Qué barbaridad! —comentó Quirós.

—Llevamos aquí casi dos horas. Eso también se paga —comentó Ortega, mientras pagaba las consumiciones.

Los dos se levantaron a la vez. Y fue Ortega quien, pensando en que Quirós se encontraría dentro de una hora con su novia, sintió, como un escalofrío, celos. Y dijo:

—Tenemos que volver a vernos. Esto no puede quedar así...

—Esto no puede quedar así —repitió Quirós.

Quedaron en verse en el mismo sitio, a la misma hora, al día siguiente. El verano en Madrid siempre es muy largo. La vida humana siempre corta. Y así empezó todo.

Cuando Quirós entró en casa, su madre estaba viendo el telediario. Iban a dar las nueve y media. El vestíbulo era interior con dos puertas de cristales, una frente a la entrada, la puerta de la sala, y otra, a la derecha, que daba a lo que había sido en vida del padre de Quirós (un hombre sumamente pulcro y chinche que otorgaba gran importancia a la puntualidad de los almuerzos y las cenas) el comedor, y que ahora, ya sin la mesa de caoba y sin el aparador, pero todavía con cuatro de las seis sillas isabelinas en que había consistido el mobiliario original, servía a Quirós de dormitorio. Tenía esta habitación la desventaja de dar a un patio estrecho, no muy bien ventilado, y la ventaja de poder entrar y salir Quirós cómodamente de día o de noche (y sobre todo regresar tarde por las noches) una vez que su madre, cuando terminaba la televisión, sobre las doce, se retiraba a su habitación al fondo del pasillo, una de las dos habitaciones delanteras de la casa, que daban a Hortaleza. El pasillo, a la izquierda, conducía directamente a lo que había sido el dormitorio conyugal (la habitación de su madre ahora) y a una salita inutilizada, casi sin muebles, y al cuarto de baño, la cocina y otro dormitorio más pequeño. Este pasillo era interior, como el vestíbulo. Dos listones de madera, a metro y medio del suelo, pintados de marrón, se tendían a lo largo de ambos lados del pasillo. De niño Quirós se encaramaba apoyando un pie en cada listón y caminaba lentamente pasillo arriba y abajo, sintiéndose hombre araña, mientras que por debajo de él, bajo los puentes formados por sus piernas, iba y venía el hijo del portero y otros amigos con los ojos vendados. Así jugaban a la gallina ciega. Este recuerdo que olía, como el propio pasillo, siempre a húmedo, era uno de sus recuerdos más vivos; un recuerdo en cierto modo intemporal que Quirós localizaba vagamente en su infancia sin poder precisar ni las fechas, ni los nombres, ni el aspecto de sus compañeros de juego. Al recordar su infancia Quirós sólo se recordaba a sí mismo, no reconocía a nadie más en ella, ni siquiera con claridad a sus padres.

—¿Eres tú, César? —la voz de su madre desde la sala le sobresaltó un poco. Quirós entró en la sala. Se sentó en el sofá junto a su madre.

—¿Cómo te encuentras? —era la pregunta acostumbrada.

—¡Ay, pues no muy bien, hijo, no muy bien! Con este calor se pasa una el día ya cansada...

Su madre sonaba últimamente siempre un poco más cansada de lo lógico, pensaba Quirós. Como si acabara de sentarse en aquel momento por primera vez en todo el día. Quirós sabía de sobra que la verdad era todo lo contrario y que, a su manera ñoña, se daba la gran vida. Eso sí, suspiraba con frecuencia. Se quejaba con frecuencia. Pero la viudez la conservaba joven; la había rejuvenecido por lo menos, engordándola un poco. En la mesita baja junto al sofá, el vaso de café con leche vacío y el paquete de Fortuna mediado.

—Estuvo Charito a merendar. Cómo está de guapa, tostadísima. Dice que ha visto unos zapatos monísimos en blanco, que como no tenía nada en blanco... Pues yo tampoco, la dije, yo tampoco tengo nada en blanco. Y este verano se va a llevar muchísimo lo blanco, vuelve el blanco, otra vez el blanco, las tallas grandes y los trajes sueltos. Te advierto que me alegro porque la moda estrecha era un horror, no sabías qué ponerte... Pero claro, lo que yo la dije, yo me tengo que esperar porque no puedo, porque yo hasta las rebajas, pues no puedo, porque un par de zapatos ahora mismo son seis mil pesetas y no puedo, no podemos; una nada, porque son una nada, una correílla, el taconcín, un poquito de dibujo en la puntera y ya seis mil pesetas y no puedo. Ella, claro, como se compra lo que quiere, porque caprichosa es muy caprichosa...

La voz de su madre se enhebraba así todas las noches en la aguja inmóvil de sus vidas, un poco demasiado alta, un poco demasiado quejumbrosa, un poco demasiado satisfecha de sí misma, inmutable a lo largo de los años. Reconfortante también para Quirós aunque no le inspirara en realidad ningún cariño. Sólo una apagada sensación de coherencia.

—¡Figúrate que Fraga va a pedir el cese de Calviño! ¡Si tendrá cara ese hombre! Pero no va a sacar nada en limpio... ¿Tú qué crees, que le van a hacer caso...? El Guerra con lo que es... Ni caso le hace, pero ni caso...

Quirós no decía nada. Desde niño se había acostumbrado a que su madre hablara y hablara sin atender a las respuestas. Los dos encendieron sus Fortunas. Quirós sintió una imprecisa sensación de seguridad, de olvido. Todas las cosas resbalando velozmente por la superficie de una conciencia impersonal, maternal quizá, televisiva, como sobre un plano inclinado, carentes de importancia. Y al pensar esto, se vio Quirós arrastrado por la fuerza un poco tonta de la frase a pensar lo siguiente: la importancia y la significación se añaden luego, después del acontecimiento. Al dar la noticia, al escribir los cuentos, las historias. Era el escepticismo de antes de acostarse, que benéficamente le invadía como quien se concentra para dormirse en la trama de una novela policiaca. Su casa. Todo el cariño que Quirós no sentía por su madre, lo sentía en cambio por su casa. Recorrió con la vista ahora el saloncito iluminado por la televisión que parecía inhibirse, en su pequeñez, separarse del estruendo multicolor de los anuncios que tanto le gustaban a su madre. Hubo un tiempo, en vida del padre de Quirós, que este saloncito no se usaba. Sólo los días de visita. Los falsos pretenciosos sillones dieciochescos se conservaban envueltos en fundas de plástico durante todo el año. Y a través del plástico, enturbiados, los relumbrones de los terciopelos y del falso mármol, el falso bronce, los falsos dorados y cristales de Cristalerías Quevedo. Su padre, que se murió ya siendo apoderado, había cuidado mucho sus muebles. Tanto que hacían la vida en la cocina. Pero su madre empezó a usar esta sala ya a partir del velatorio que fue como una desacralización. Con las vecinas y parientes, todos tomando chocolate, suspirando y dándose los pésames. Y su madre en medio, de luto riguroso, que todavía no fumaba. También fumar llegó con la viudez y más casi como parte de aquella su pensión de viudedad que como un vicio. «No lo siente nada», había pensado Quirós en aquella ocasión. Igual que él; tampoco él lo había sentido gran cosa; sólo se había sentido a sí mismo sintiendo que no sentía lo que debería sentir. Y aunque nunca hablaban de ello, Quirós creía que en eso su madre y él se parecían muchísimo: en saber de sentimientos que en cada circunstancia habían de sentirse sin llegar nunca a sentirlos. Una sabiduría ésta que a ratos le parecía a Quirós atroz, diabólica, y a ratos sólo humana, demasiado humana. En cualquier caso, ya desde aquel día, desde el mismo velatorio, comenzó su madre a cambiar las costumbres de la casa. La televisión, por ejemplo, que la compró so capa de encontrarse sola, y que no la parecía cosa de ir al cine con el luto. Quirós recordaba haberse divertido increíblemente la tarde aquella de primavera cuando trajeron entre dos el gran televisor Vanguard, el mayor que había. Aquella emoción pecaminosa de sentarse en el suelo a ver cómo ajustaban la Carta de Ajuste los dos técnicos. Y tener que reconocer ante sí mismo que aquel gesto de su madre de independencia, de viudez, de sálvese-quien-pueda, le había regocijado, le engolfó en sí mismo más aún de lo que estaba, y le sirvió para medir con el mismo rasero todos sus otros actos de autoconocimiento futuros. Lo de menos era sentirse culpable o inocente, lo de menos era serlo o no serlo. Lo único fascinante era verse a sí mismo siendo esto y lo otro, lo que fuera. Y desaparecieron las fundas de plástico. Y la mesita baja, de café, delante del tresillo, se llenó de revistas de moda, y de *Dunia*, y de *Hola*, y *Diez Minutos,* que su madre antes sólo leía en la peluquería. Y la salita se convirtió en un lugar confortable donde podía uno sentarse en pijama. Su madre, si no salía, si nadie venía a verla, se pasaba la última parte de la tarde en bata. Y ahí, en aquella salita vulnerada, cuando había una buena película, o un programa musical, cenaban los dos juntos, cada cual con su cena en una bandejita. Y no es que la casa estuviera descuidada. Nada de eso. Pero había perdido importancia, reserva, se había vuelto muchísimo más cómoda. Y los búcaros y figuritas de cristal y sosos óleos de paisajes con anchos marcos dorados, que su padre desempolvaba él mismo con un plumerillo especialmente reservado a este efecto, ahora se habían reunido en un solo lugar de la habitación, en un rincón, en una mesa redonda, más o menos alrededor (esto, sin duda, por pura casualidad) de la fotografía de su padre, que desde ahí, por los siglos de los siglos, en el estridente, recoleto, brillo de la televisión les contemplaba ceñudo. Y se hacían las comidas, a mediodía, en la cocina, que su madre había hecho agrandar echando abajo el tabique que la separaba de un dormitorio pequeño que en época de la abuela de Quirós, la madre de su padre, había servido de cuarto para la chica fija. Su madre y su abuela se habían odiado sin tumulto y sin pausa durante los últimos diez o doce años que fueron los últimos de la abuela y los primeros del matrimonio. Hasta que hubo que llevarla a una residencia e ir a verla los domingos, llevarla dulces, comidas y recados. En la residencia, siempre pensó Quirós que se encontró a sus anchas la abuelilla, mucho mejor que en casa, aunque ella no lo reconociera nunca. Según ella, su sitio estaba en casa de su hijo. Unido a él contra una nuera terca y hedonista. Y de los diez a los quince años, Quirós se volvió corre-ve-y-dile. Porque, aunque su madre y su abuela se odiaban, no por eso dejaron de comunicarse diariamente. Era como si las dos, al no verse, tuvieran más necesidad que nunca la una de la otra. Un auténtico afán inconfesado de calentarse la cabeza e impacientarse con extractos de noticias mutuas que Quirós transportaba como paquetes conteniendo objetos frágiles y que con frecuencia (y muchas veces realmente sin querer, por simples olvidos o malentendidos) llegaban a sus destinatarias desfiguradas del todo. Y desde muy pequeño se había acostumbrado Quirós a discutir y a analizar alternativamente a su abuela y a su madre desde la perspectiva de lo que a cada una de las dos faltaba al ser examinada y discutida por la otra. De estas discusiones, cronológicamente confusas, recordaba Quirós casi únicamente ahora una vertiginosa sensación de poderío, un grato sentimiento de su propia ambigua importancia.

Creció, pues, Quirós al amor de un cotidiano escepticismo que no parecía tener fin porque, como una sonrisa involuntaria, se comunicaba a todo el universo. Todo podía percibirse con gran claridad, con gran emoción incluso, desde la perspectiva de lo que le faltaba para ser perfecto. No tuvo Quirós la noción de belleza hasta muy tarde; y no le vino como una respuesta o una conclusión de sus sentidos, un pronunciamiento espontáneo, sino como algo que se aprende, que se adquiere poco a poco, un concepto, insignificante por comparación con la proliferante fealdad, la fascinante incongruencia que se desprende de los discursos, confusiones y pasiones de los hombres: es decir, en su caso particular, de los inacabables soliloquios de su madre y su abuela. Quiere decirse que Quirós descubrió antes la insidiosa elocuencia de lo feo que casi el propio cuerpo, las propias individuales emociones. Y vio que podía él, por cuenta propia, reproducir lo esencial de aquellos monólogos familiares e inventar incluso otros nuevos, parecidos, acerca de asuntos parecidos que hacían referencia a sus compañeros de instituto o a sí mismo, darse y quitarse la razón en un vaivén continuo de voces imitadas, con sus gestos, sus muecas, sus huecos dramatismos. Un hablar que nunca se acababa y que, aunque en el instituto ningún profesor se hubiera atrevido a llamarlo así, podía llamarse, con cierta razón, literatura. Y Quirós podía sentir por los enseres, las mesas y las sillas y los objetos de uso cotidiano, una compasión y un entusiasmo que resultaba imposible sentir por las personas. Había algo en las personas que era profundamente repelente para el Quirós quinceañero. Una perpetua confusión y un desvarío que se le contagiaban a él mismo y que los tranquilos enseres, en cambio, jamás manifestaban. Las cosas no humanas eran lo que eran de una vez para siempre, uno podía llegar a conocerlas y a amarlas y eso era infinitamente satisfactorio.

¿Y Ortega? Quirós había sentido intensa curiosidad por Ortega aquella tarde. Todavía sentía intensa curiosidad ahora. No era la primera vez que Quirós abordaba así, en la calle, o en la barra de una cafetería o de un bar, a personajes de la edad o del aspecto de Ortega. Había entre todos ellos un cierto parecido que Quirós mismo no hubiera podido precisar del todo. Por diferentes que fueran entre sí, tenían en común el sexo y la edad. A Quirós le gustaban las mujeres jóvenes (algo mayores que él, como Cristina), pero en cambio detestaba a los muchachos de su edad. Las muchas cosas que por razones obvias tenía en común con ellos era lo que más le repelía. Tener el mismo aspecto de toda su generación le resultaba insoportable. Pero es que además, a la tardía aparición del concepto de belleza, se unía un gusto instintivo por lo avejentado o torcido o marcado por la edad, no sólo en el aspecto físico sino, sobre todo, en la textura anímica de los hombres de la edad de Ortega. Y había otra cosa más: que con frecuencia Quirós sentía que le admiraban. Sus miradas le recorrían sigilosamente el cuerpo entero como caricias, como labios. (Quirós estaba absolutamente seguro de esto.) Y así sentía ahora que Ortega, al mirarle, se le había enredado en el cuerpo aquella tarde calurosa como una mosca en una tela de araña. ¿Qué había sucedido realmente? Quirós no lo sabía. No le importaba gran cosa tampoco. Le bastaba con la regocijante idea de que mañana volverían a encontrarse.

Cristina le llamó por teléfono a última hora, cuando ya iba a acostarse. Quedó en comer con ella al día siguiente. No mencionó a Ortega. Se durmió satisfecho de sí mismo en el secreto refugio de su cama.

—Lo que te faltará es paciencia —dijo Ortega.

—O talento —dijo Quirós—, más bien talento. Entonces sale solo...

—¿Tú crees? —Ortega se sintió envuelto sin querer en una conversación que le disgustaba. Hubiera deseado acabarla de cualquier manera. Regresar al territorio impersonal, divertido, de las confidencias (si es que lo eran realmente) que Quirós había iniciado. Pero había resbalado sin querer hacia su propia vida o a la versión estereotipada de su propia vida que se resumía en la frase: un novelista fracasado. Llevaban ya una hora charlando. Eran las siete y media. Quirós había llegado antes que él. Ortega, a quien la noche transcurrida y la mañana en la oficina habían vuelto pesimista, había acudido a la cita pensando que Quirós no acudiría. E incluso deseando que no acudiera puesto que nada esperaba ya de una relación como aquélla. Sin embargo, cuando le vio de lejos, se alegró de verle. Y esa alegría, que no era muy pronunciada (los sentimientos de Ortega se habían reducido mucho de volumen con los años, involuntariamente en parte, por sí solos, para amoldarse a la vida) fue, sin embargo, lo bastante inesperada y punzante como para hacer que se sienta locuaz. Casi más que la tarde anterior; y esta locuacidad se le contagió a Quirós. O tal vez al revés. El caso es que llevaban ya una hora hablando sin parar, como si se conocieran desde siempre pero conscientes ambos, como por debajo, como de reojo, a la vez de que no se conocían casi nada y de que todo estaba entre los dos por descubrir. Por hacer. Era, pensaba Ortega, como una bebida refinada, fría, intoxicante, cuyo gusto peculiar, no del todo fami-

19

liar, como el de un aguardiente de un país extranjero, encubre el hielo, sobre todo al principio.

—Estoy seguro —aseguró Quirós al buen tuntún. Porque no tenía en asuntos literarios, como es natural, quizá, dada su edad, experiencia propia—. El talento es todo. Y eso se tiene o no se tiene.

Ortega no pudo reprimir una sonrisa. El relato de los primeros esfuerzos literarios que Quirós había hecho, tratando de escribir los obsesionantes monólogos familiares, había conmovido a Ortega. Más aún: le había alegrado advertir en Quirós una inteligencia despierta que, con entera independencia de su buen aspecto físico (Ortega encontraba a Quirós francamente guapo aquella tarde), le hacía valer al muchacho por sí mismo. Y por más que Ortega se recordaba a sí mismo que no debe uno dejarse poseer por una irreprimible alegría, una sobria alegría, *sobria ebrietas*, le poseía aquella tarde. Por eso dijo, lo repitió:

—Lo que te falta es paciencia. Como a mí. A mí me faltó también paciencia cuando tenía tu edad. Y sobre todo luego, cuando salí adelante y mis novelas empezaban a leerse. Entonces, sobre todo —sin querer se embalaba. Y era este embalarse, esta facilidad resbaladiza lo que días después, semanas después, había de recordar Ortega como lo más dulce y lo más grave de aquel segun que digo no es un salvoconducto para ser mediocre. Sí, hay que perder temprano el miedo a la imperfección, muy temprano, casi antes de haber escrito nada, por paradójico que suene y por peligroso, por trivial que en muchos casos resulte. Que conste que lo que digo no es un salvoconducto para ser mediocre. Sí, hay que perder temprano el miedo a contemplar cara a cara la desproporción entre lo que quisiéramos decir y lo que por fin, después de muchas vueltas, vemos escrito en nuestros folios. No hay que dejarse atemorizar por los ideales expresivos que representan los maestros, un Cervantes, un Shakespeare...

—Bueno, pero ésos no son maestros —intercaló Quirós.

—¿Cómo que no?

—Son supermaestros. Uno no puede aspirar a emularlos.

—No me interrumpas... —Ortega se echó a reír—, perdona. Quiero decir que estoy seguro de que estoy diciendo una cosa que es verdad...

—Usted perdone.

—¿Me vas a tratar siempre de usted?

—No veo por qué no.

—Me haces más viejo.

—Eso es coquetería. Su ministro favorito hubiera dicho lo mismo.

—Está bien, chico, está bien. Acepto la objeción... —Ortega pensó rápidamente, como quien piensa a gran velocidad un mal pensamiento, que lo estaba pasando bomba aquella calurosa tarde en la Gran Vía. Mejor que la primera vez, mejor que ayer, y ya es decir—. Por cierto, ¿quién es mi ministro favorito?

—¡Hombre, lo dijo ayer! —los ojos de Quirós relucían, negros como dibujos, aguafuertes. Como dotados de un exceso de realidad, un suplemento onírico de fuerza y de presencia. Ortega le miraba de hito en hito. No hay, al fin y al cabo, grandes diferencias entre dentro y fuera. Lo que hay dentro, eso hay fuera. Todo el mundo lo sabe.

—¿Qué dije ayer?

—Pues hablamos de todo... Pero entre otras cosas puso usted a Fernández Ordóñez por las nubes.

—¿Ah, sí? No me acordaba.

—Yo me acuerdo de toda la conversación palabra por palabra.

—No creo que mereciera la pena...

—Para mí, sí. Nunca he hablado con nadie como usted...

—No digas eso. No puede ser verdad.

—Es la verdad. Se lo juro...

—Pues hay cientos, hay miles como yo. No hay nada más parecido que un fracaso a otro. Decía Kennedy que el triunfo tiene siempre muchos padres. Es quizá un hijo de puta. El fracaso sólo tiene uno. Es siempre legal, lo mires como lo mires...

—Se ve que está usted obsesionado por el fracaso. ¿A que sí, a que es eso?

—Obsesionado, no. Es un dato. Un dato, ¿entiendes? —a pesar de que habían tomado, como la tarde anterior, sólo granizado de limón, Ortega se sentía, pobre hombre, ebrio. Por eso repitió—: Un dato. *Omne datum optimum, omne donum perfectum, desursum est descendens a patre lumine...*

—¿También habla usted latín?

—¡Qué va, qué va! No lo hablo ni lo leo casi. Sólo me acuerdo de trocitos... Es que estoy hecho picadillo...

—Se pasa, o sea, de modesto. Usted sabe mucho. No he encontrado nadie como usted. ¿Qué significa ese latín?

—Pues significa —sonreía Ortega como un crío, como el primero de la clase. Era la hora hueca de la tarde. La rosácea, temblorosa, equívoca noche del tentador estío que ya entraba, sangre que se nos toma de las venas, en ayunas, y luego se analiza, abstractamente, siendo sólo nosotros una abreviatura, un apellido, un número de la Seguridad Social, sangre que no redime y, sin embargo, inequívocamente nos designa para bien, para mal, hasta la muerte... —, pues significa que todo dato óptimo, todo don perfecto, como es esta idea que tengo yo de mi nulidad y mi fracaso, viene de arriba, es un don que me da el padre de la luz, un don nadie, o Dios, como tú quieras. Dios, en el fondo, es un don nadie... Por eso es tan difícil dar con él... dar con Dios... Es imposible... Excepto quizá con el fracaso, cuando el fracaso nos atenaza como Dios, entonces es quizá posible verle... En el espacio de nuestra capacidad negativa, en la luz de la noche... Perdona, no sé qué estoy diciendo... ¿Qué estaba diciendo? Normalmente no digo tantas chorradas todas juntas...

—Es usted un tipo estupendo —dijo Quirós—, un hombre bueno. Jamás he conocido a nadie como usted...

Y Ortega sonrió, profundamente avergonzado.

—Estoy hablando demasiado —dijo.

—Nada de eso. Es muy interesante —dijo Quirós.

—Sí, estoy hablando demasiado —repitió Ortega—. ¡Qué calor hace!

—Sí, hace calor. Apenas me había dado cuenta hasta ahora.

¿Por qué dice que ha hablado demasiado? Entonces yo también...

—Pero lo tuyo es distinto. A tu edad está justificado. Hablar de uno mismo a tu edad es necesario, es... es en realidad una búsqueda de uno mismo. Lo malo es a mi edad. A mi edad ya no hay nada que buscar, nada nuevo que encontrar. Ya no hay islas desiertas. Es sencillamente autocomplacencia. Debería uno callarse...

Ortega miraba al frente mientras decía esto. Se veía que no se estaba fijando en los abigarrados paseantes que discurrían ante ellos con una lentitud cómica, provinciana, como si regresaran todos juntos o se dirigiesen todos juntos a una procesión, un acontecimiento festivo que perpetuamente estuviera teniendo lugar en la plaza del Callao. Quirós contempló el perfil de Ortega, la mejilla afeitada, no demasiado cuidadosamente. Representaba su edad, quizá cinco años más. Una cara pesada, carnosa. El perfil de un hombre que fue probablemente bien parecido en su juventud y que había adquirido con los años una especie de estupor fisionómico, una inmovilidad mineral que la luz vespertina, la prolongada luz del mes de julio resaltaba impiadosamente.

—A mí me gusta oírle hablar —dijo Quirós—, nunca he conocido a nadie como usted.

Ortega se volvió a mirarle. La repetición de aquella frase: «Nunca he conocido a nadie como usted», que las primeras veces, la tarde anterior y esta misma tarde le había resultado gratificante, le sonó ahora como una nota falsa. Una estridencia. E inmediatamente se sintió culpable, avergonzado de sí mismo por haberse dejado llevar de su lúgubre elocuencia. («Una elocuencia —reflexionó Ortega amargamente— que ya sólo se manifiesta en situaciones equívocas como la presente.») Y a la vez, contemplando a Quirós, emergió el impulso contrario: la tentación de no avergonzarse de sí mismo y de no censurarse siempre implacablemente, y de no rehuir toda emoción que gratificara su vanidad común. El choque de los dos impulsos fue lo que le hizo decir, un tanto secamente:

—No repitas eso ya más. Ya me lo has dicho. Ya lo he oído.

Es demasiado agradable. Y sólo te parece verdadero ahora porque todavía no me conoces. Si me conocieras de verdad, me encontrarías igual que todo el mundo...

Aquello le pareció bien a Quirós: aquella sinceridad y sequedad. Por eso insistió:

—Puedo no volverlo a decir si le molesta. Pero es la verdad. O por lo menos eso es lo que pienso de verdad. Hoy, normalmente, todo el mundo pretende ser más de lo que es, parecer más de lo que es. Esto es un carnaval que acaba hartando...

—Cuéntame algo de ti mismo —dijo Ortega—. ¿Qué haces todo el día? ¿Trabajas? ¿Estás de vacaciones? Tienes muy buen color. ¿Vas mucho a la piscina...?

—Nada. No hago nada —aseguró Quirós sencillamente. Pero al decirlo había una chispa de desafío en su mirada, como si el no hacer nada, en un momento en el que todo el mundo se afanaba por parecer más de lo que era, fuera fruto de una rara fortaleza interior y no de la pereza. Ortega, en cualquier caso, y a pesar de su habitual capacidad autocrítica, no estaba en condiciones de percibir los síntomas negativos de una personalidad como la de Quirós. Las apariencias le engañaron una vez más aquella tarde. Las apariencias engañan porque ponen siempre la verdad por delante.

—¿Nada? No te creo. Algo harás. Es imposible vivir sin hacer nada. La vida, como decía Ortega, mi homónimo, da mucho que hacer...

—A mí no —respondió Quirós—. Yo, por así decir, vivo de las mujeres...

—¡Hombre, eso tiene gracia! —Ortega se rió un poco demasiado alto tal vez.

—No se ría. Es la verdad. Vivo de las mujeres. O sea, de dos...

—Bueno, pues ya está bien, con dos ya es más que de sobra —Ortega continuaba sonriendo—. ¿Y se puede saber quiénes son esas dos damas? ¿Dos americanas tal vez, dos ricas herederas, una morena y una rubia...?

—Pare, pare... Tampoco es para tanto. Mi madre y mi novia, eso es. Vivo más o menos de ellas dos...

—Ya será menos —Ortega no supo al principio si sentirse satisfecho o lo contrario. Hubiera tenido gracia que aquel chico inteligente, que tan insistentemente decía admirarle, hubiera resultado ser un chulo. Ortega sonrió al darse cuenta de lo infantilmente perverso de sus fantasías. La espontánea incongruencia de sus imágenes. Quince años atrás, de esa incongruencia, de aquel vivo sentido del absurdo, habían surgido algunas de sus mejores páginas. Ahora era tarde ya. Lo incongruente ya sólo eran fantasías. No tenía ya ninguna gracia. Por eso que la revelación de Quirós, la identidad de sus «dos mujeres», hubiera resultado ser una sosería al fin y al cabo, así como también el hecho probable de que Quirós resultara ser al fin y al cabo sencillamente un buen chico, le tranquilizó por completo.

—Eso está bien —dijo Ortega—. Supongo que querrás decir que estás viviendo en casa de tu madre, y que tu novia te convida de vez en cuando a merendar y al cine...

—Más o menos, sí. Pero no hago nada por remediarlo, vamos. Me encuentro estupendamente bien así. Sin hacer nada. O sea, voy y vengo. Me levanto tarde. Doy una vuelta por el Retiro. Leo bastante, leo el periódico... Escribo incluso un poco... Vamos, que vivo como un señorito. Mi novia gana un buen sueldo. Mi madre es viuda. No me falta de nada. Así que ya ve...

—Nada, nada, que ya veo que vas de guapo por la vida —resumió Ortega, por ver con qué salía su nuevo compañero. Quirós se echó a reír satisfecho. En aquel momento se sintió el amo del mundo y más adelante, cuando pasó el tiempo y la relación fue perdiendo simplicidad y claridad, los dos habían de volver muchas veces al recuerdo de aquella risa, a aquella hora populosa del atardecer de julio que parecía no transcurrir apenas, que parecía no ser uno de esos raros momentos dichosos de la vida y que, de hecho, lo hubiera sido si el tiempo no hubiera proseguido su indiferente tránsito.

—¿Hace mucho que os conocéis, tu novia y tú? —preguntó Ortega.

—Hace ya dos años.

—O sea que la conociste cuando tenías tú veintitrés años.

—Sí, veintiún años. Es como si hiciera ya lo menos veinte.

Ortega tuvo la impresión de que, al decir esto, Quirós suspiraba un poco como si hubiera algo profundamente incómodo en la idea de aquellos dos años transcurridos. Por eso Ortega añadió:

—Lo dices con un tono aburrido, como si estuvieras ya cansado.

—Y es que estoy un poco cansado. No le veo porvenir...

—¿A qué no le ves porvenir?

—Pues no lo sé. A todo un poco. A veces le echo la culpa a mi novia. Y a veces la tiene, me mima demasiado, me consiente demasiado...

—Está bien que lo reconozcas —dijo Ortega—. Eso está bien.

—Reconocerlo no cuesta trabajo. Uno es capaz de reconocer cualquier cosa con tal de no tener que corregirse. Cambiar de manera de ser, cambiar de vida. Todo menos eso. Por eso digo que aunque ella en parte tiene cierta culpa, tengo yo toda la culpa...

—La exclusiva de la culpa. ¿No es eso demasiado para cualquiera de nosotros?

—Quizá sí. Quizá tenga usted razón. Y no crea, no crea que me echo yo más culpa de la necesaria. Yo tengo poco de masoca. Demasiado poco, quizá. A veces pienso que para corregirse de verdad, para cambiar y tal, no sé, para escribir, de eso sabe usted más que yo, hace falta una cierta capacidad de masoquismo, torturarse, mortificarse, algo así. ¿No cree usted?

Ortega se quedó callado. La verdad es que sí que lo creía. Estaba convencido de que un componente esencial de la creación consistente y continuada era la negación de sí mismo. Una negación superadora. Un no encogerse y un resistir para poder luego dilatarse y gastarse. El asunto le afectaba muy directamente a él mismo. Y las palabras de Quirós le parecieron un milagroso acierto psicológico por parte del muchacho. Por un momento pensó que debería reservarse su auténtica opinión sobre el asunto porque revelarla equivalía a confesar mucho más que lo que deseaba confesar aquella tarde. Pero, a la vez, la situación en que se hallaban y la confianza —por lo menos aparente— que se había establecido entre ellos le movió a decir la verdad, o parte al menos de lo que él creía que había sido la verdad en su caso. Y a la vez se daba cuenta de que cualquier explicación que diera, para resultar verdadera, tenía que ser tan larga y tan compleja que ya el simple hecho de iniciarla resultaba desproporcionado a aquella situación y a aquella hora. Pero, a la vez, pensó Ortega, «¿por qué no esforzarme en dar ahora mismo una explicación, cualquier explicación? ¿No ha sido, al fin y al cabo, el vano deseo de esperar por siempre a dar con las palabras exactas y perfectas lo que me ha detenido y hecho fracasar hasta la fecha?»

—El pasado, el futuro —empezó por fin Ortega— no están ni más ni menos ahí que el presente. Ambos fluctúan, van y vienen, se asoman a los sueños, afloran en pesadillas. Y para apresarlos con palabras hay que hacer un gran esfuerzo, un curioso esfuerzo que resulta, en proporción, si se atiende a sus resultados, completamente desproporcionado. Nuestra conciencia no es lo mismo antes de esforzarnos por recordar una cosa que después. Y el esfuerzo que yo tenía que hacer para escribir, de pronto, me pareció mucho más grande y mucho más penoso que la gratificación que había de proporcionarme cualquier resultado. Y esto era una ilusión. Una jugarreta que me tendía la pereza y la impaciencia, yo mismo. Nada de cuanto hacía me resultaba en realidad satisfactorio. Todo me parecía mediocre. Hubiera deseado, por ejemplo, situar a mis personajes en un paisaje elocuente, hacerles ir y venir por una ciudad brillante. Y yo sabía que eso no puede copiarse de la realidad, no existe esa ciudad ni ese paisaje. Incluso lo más sencillo, lo más innegablemente existente, tú y yo aquí hablando, tiene que ser inventado para poder ser contado. Es un esfuerzo casi insostenible. Cuando releo las páginas que he escrito (y lo hago algunas veces), vuelvo a sentir el mismo miedo a perturbar la paz y el adormecimiento cotidiano que sentí hace quince años. Se está mejor así, sin hacer casi nada, yendo a la oficina, yendo de vez en cuando al cine, leyendo novelas. Es una actitud pasiva; y el mundo parece deslizarse velozmente por delante, como una escena placentera, quizá siempre la misma, que vamos olvidando poco a poco para empezar de nuevo y de nuevo. De sobra sé que me estoy quedando en las afueras de este asunto. Y sospecho, además, que no estoy contestando a lo que tú me preguntabas. La verdad es que llego, una vez más ahora, a una zona de mi voluntad donde tengo que decir sencillamente: no quiero esforzarme más, me canso. Y eso es todo. A ese cansancio acobardado es a lo que hay que llamar en realidad fracaso. En eso ha consistido mi fracaso...

Quirós no apartaba la vista de Ortega. Se sentía, de algún modo, descrito él mismo en todo aquello. Se había hecho muy tarde ya. Casi las diez de la noche. Ortega miró su reloj y dijo:

—Se nos ha hecho muy tarde. Voy a tener que irme.

—¿Nos volveremos a ver mañana? —preguntó Quirós.

—Sí. Si tú quieres. Por mí no hay inconveniente.

Los dos se levantaron. Ortega llamó al camarero y pagó la cuenta. Quedaron en verse al día siguiente en el mismo sitio, a la misma hora. Ortega pensó: «No volveré mañana. Sería absurdo. Sería perjudicial para los dos.» Quirós no pensó nada. Entusiasmado como estaba, excitado y curioso, intensamente absorto, como un gato en el aleteo malherido del desdichado Ortega que, precisamente porque no tenía salvación, le pareció a Quirós que era un caso único, fascinante. Una singularidad absoluta, un espejo.

Quirós se miró al pasar en el espejo del chaflán de la Gran Vía con la calle de la Flor Alta. Tuvo que desviarse un poco para verse entrar andando en ese espejo, mirarse sin parar en el ámbar rosáceo del azogue y deshacerse Gran Vía arriba, hacia Callao. Eran las diez y media de la noche. «Treinta grados todavía —pensó—, pero fáciles.» Se desabrochó un botón más de la camisa. Le miraron al pasar unos extranjeros de pantalones cortos. «Americanos —pensó—, buenos estarán ésos de Sida.» Compró chicle a la mujer del Palacio de la Prensa. Aunque no sentía hambre, entró a comer una hamburguesa. Le divirtió la coca-cola aquella clausurada en su plástico tintineante, la pajita de plástico de rayas. Mientras comía se miró al espejo. Con curiosidad nueva. Como si contemplara una fotografía de sí mismo. Y esta comparación le pareció inteligente. «Contemplar una fotografía de uno mismo, oír la propia voz grabada en una cinta magnetofónica nos sorprende así —pensó—, por lo menos la primera vez», como le sorprendía ahora su propia imagen estival reflejada en aquel espejo, apoyando un codo en el estrecho mostrador, encaramado en un taburete. Se sintió joven. Y sonrió al pensarlo, consciente del lado un poco ridículo de semejante sentimiento: sólo quienes empiezan ya a no ser jóvenes sienten que se sienten jóvenes, a ratos. La imagen reflejada: unos ojos negros, una mandíbula cuadrada, escrupulosamente afeitada, una nariz griega, la frente ancha, el abundante pelo negro, como una suave crin. Un chico guapo; no un niñato. Un aire adulto. Los labios no muy gruesos, no muy finos, sosteniendo el pitillo, ligeramente presionados, guiñando el ojo izquierdo a causa del humo, peliculero, un modelo masculino del *L'Uomo Vogue*. Convencional, un poco, si se quiere, mediterráneo, a lo Angel Alcázar, el protagonista de *Ultimas tardes con Teresa,* su película favorita. Algo más delicado quizá. Pero no mucho. Una mirada algo más melancólica tal vez. Ya un hombre hecho y derecho, sólo que todavía jovencísimo. ¡Y que pudiera ser, a la vez, consciente de todos estos datos en su ridícula nimiedad de *Diez Minutos*, y reírse, separado de ellos, de sí mismo, tomarse a broma! Se sentía dueño de sí mismo, de su futuro y su pasado, que ahora confluían en aquel privilegiado instante, invisible para todos menos para él, en medio de aquella gratificante, aguda, autopresencia corporal que le embargaba y le embriagaba como un buen vino blanco. Y el sabor dulzarrón de la salsa de tomate y la mostaza y la hamburguesa le hacían sentirse vigoroso, noctámbulo, con toda la noche por delante, como un parque. Al salir, desenvolvió las barritas de chicle y encendió otro pitillo. Llegó a la Red de San Luis, inmaculado. Le chistaron las chicas de las paredes de la Telefónica como muñecas de cera. Y una de ellas hasta llegó a rozarle, de pasada, como un gato en una tapia. Un gato en los huesos. Murmuró: «No, bonita, esta noche no, muchas gracias.» Ningún contacto humano (todos los contactos humanos, hasta los más violentos, son humildes) le hubiera satisfecho ahora mismo. Sólo sentirse él mismo, corporal, bajando deprisa hacia la calle de Alcalá, deteniéndose un par de veces a mirar las tiendas. Eran ya las once, corría el aire. Una profunda sensación de bienestar, ligereza, de soledad anónima, como si hubiera conseguido algo definitivo aquella tarde. Como cuando inesperadamente nos sonríe la suerte. De los jardines del antiguo Ministerio del Ejército, llegaba un olor fresco de hierba recién segada, regada. Y Alcalá arriba ahora, hasta la Puerta de Alcalá. Recordó a Ortega dándole conversación aquella tarde mientras cruzaba el semáforo de Recoletos, al pasar delante de la cervecería de Correos. Toda aquella absurda confesión que Quirós no había provocado pero que había escuchado absorto como quien, por casualidad, asiste a una escena entre dos amantes, inevitablemente envuelto en un acontecer que no debería contemplar y que, sin embargo, como una explicación que nada explica, transcurre de cabo a rabo ante el furtivo espectador, obsceno, fascinante, ante una voraz conciencia pura, vacía enteramente, que sólo los sucesivos datos de un mundo inverosímil que jamás podrán llegar a contagiarla satisfacen. Y se le ocurrió a Quirós en este punto que, sin haber revelado apenas nada de sí mismo, ya lo había Ortega confesado todo. Y pensó que Ortega se extendía ante él, en imagen y semejanza, como el futuro y como la noche y como un puerto en una narración marinera y portuaria y el olor a salitre y la sumisa lluvia del amanecer chisporroteando en la piel tersa y gris de la rada. ¿Habría regresado Ortega directamente a su casa?

Ortega había, en efecto, regresado directamente a casa, deteniéndose sólo a cenar en una cafetería de la calle de Abascal. Nunca cenaba dos veces seguidas en el mismo sitio. No le reconocían en ninguna parte. Ortega observó al camarero que le sirvió un plato combinado en la barra. Los ojos del camarero resbalaban por encima de Ortega como sobre una superficie resbaladiza, uniforme. Y este hecho, que en algunas ocasiones le había deprimido, le encantó este anochecer caluroso (el segundo encuentro con Quirós le había reanimado mucho a él también); el anonimato como un refugio, el no ser reconocido, como una invisibilidad activa y voluntaria, casi una gracia. Encendió satisfecho un Ducados después de cenar. Pidió una copa de anís. La noche es débil por sí sola. «¿Cuántos años me quedarán de vida? —pensó Ortega—. ¿Y de dónde viene esta amargura, este malestar que se entreteje en todo?» De pronto su soledad se le volvió visible en la conversación que los dos camareros mantenían en voz baja al otro extremo de la barra, en la pareja de novios que discutían detrás de él, en el suelo sucio de la cafetería, en la refrigeración estrafalaria. ¿Podría Ortega, si quisiera, volver a escribir? ¿Tendría paciencia de nuevo, ambición suficiente? «No he llegado a ningún sitio —pensó—. Y, sin embargo, estar aquí esta noche, cenando solo en esta cafetería, es haber llegado al final, o casi al final, malamente.» Pagó su cuenta y salió a la calle. Eran las once y media de la noche. En contraste con la refrigeración, se sintió abrigado, protegido por la calidez de la noche. «Todo lo que salió mal, salió mal por culpa mía. Mientras estaba sucediendo, yo lo dejaba suceder convencido de que no podía alterarlo. Y ahora que ha terminado ya, sé que hubiera podido hacer que todo fuera diferente. No tengo ninguna disculpa. Pero no sé si esta desesperación de ahora es remordimiento o, una vez más, pereza. Reconocer las propias faltas no siempre es la manera más segura de corregirlas. No acudiré mañana a esa cita absurda. Me debo a mí mismo la dignidad de olvidar este incidente que ha durado ya dos días. Siquiera eso.»

Al abrir la puerta, le asaltó el olor de los libros que empequeñecían casi todas las habitaciones del piso. E incluso el pasillo. De joven había deseado reunir miles de libros en torno suyo. La acumulación de libros no había correspondido, sin embargo, a una acumulación de experiencias. Había, al revés, ido volviéndose una permanente presencia culpabilizadora. Todavía leía mucho. Pero su curiosidad era superficial, en cierto modo. Leía por costumbre, con desgana, que era una prolongación de la desgana que le había ido invadiendo respecto de su propia obra. Ortega había tratado muchas veces de esclarecer ante sí mismo el origen de su pasividad, su fracaso. Sólo lograba reunir notas y apuntes dispersos. La mera idea de tener que releerlos le hacía abandonar el piso e irse al cine. Sólo para, ya en el cine, sentirse acuciado por la necesidad de abandonar la sala y volver al piso a releer las páginas que precipitadamente había abandonado. Sin un detonante exterior, una situación así puede prolongarse indefinidamente. Y la situación de Ortega había, efectivamente, llegado a prolongarse hasta adquirir sus borradores un como aire terapéutico, una especie de laborterapia que le hacía sentirse cada vez más y más ridículo y abandonarlo todo para dar un paseo. Y, una vez más para, en medio del paseo, regresar a casa y tratar de reanudar su trabajo literario. Hasta seis veces en un mismo día, en una misma tarde, había llegado a empezar y a abandonar una misma página. Todo lo que podía haber servido de estímulo podía servir, y había servido, de hecho, también de disculpa. Su trabajo bancario, el cansancio, la soledad en que vivía. Todas sus motivaciones habían acabado diluyéndose en la falta de necesidad de cualquier último motivo (una falta de necesidad que a partir del presuntamente innecesario final se extendía, retrocediendo, a todas partes, leve y tenaz como una mancha de aceite). Y daba vueltas y más vueltas Ortega al inexplicable abandono de su talento literario. Y a veces creía poder explicarlo atribuyéndolo, por ejemplo, a una inadecuada combinación de soledad y compañía. Jamás había Ortega acertado en eso. Había, de más joven, disfrutado de su soledad ya un poco como un viejo. Se había sentido todopoderoso a solas. Limitado y todopoderoso a la vez. Aureolado y embriagadoramente clausurado por la repentina nitidez de esta paradoja. Y recordaba, por ejemplo, Ortega, en el Retiro, una mañana a principios de agosto, cerca del mediodía, sentado en la terraza del kiosko del Paseo de Coches que hace esquina con el Paseo de Venezuela, bebiendo agua de Fonter con gas, al sol de azur, de añil, gorriones en las dos acacias verdiblancas, en el ancho plátano silvestre, en los castaños de Indias, trinaban invisibles, y el diluido rumor de conversaciones a su espalda, el chirriar pacífico de las bicicletas de cuatro ruedas de tres niños pespunteando el silencio. Y corría el aire. Había bajado la temperatura quizá diez grados. Veintitrés grados en el termómetro del kiosko. Ortega se había sentido alerta, percipiente, zahorí de un universo ilimitado, adivinable y, a la vez, no angustioso; un cosmos sujeto naturalmente a formas, a expresiones, a gestos, a palabras, a *sus* propias palabras recobradas que nunca morirían. Se había sentido limitado, libre, firme, conciencia pura en acción permanente ante sí misma. Contento de estar solo y no sufrir la soledad. Como Dios. Un Dios que irónicamente se sentara a una mesita de metal color butano, e igual las otras mesas y las otras sillas que le rodeaban, vacías, como en espera de invisibles, también divinos, contertulios. ¿Y los demás? ¿Dónde habían ido quedando los demás, los otros, los prójimos de Ortega? ¿Acaso no los hubo nunca? Es curioso que precisamente hoy, al regresar de un encuentro probablemente estéril, se sintiera Ortega propenso a recordar la insensata exaltación de su soledad juvenil. Había habido más personas de joven. Algunas todavía le llamaban por teléfono, de Pascuas a Ramos. O le escribían. Al principio, cartas que Ortega tardaba en contestar, o contestaba cada vez con menos atención, más impersonalmente. Cartas que luego se convirtieron en postales, en felicitaciones de Navidad, o de cumpleaños, o de santo, hasta ir cesando poco a poco, con una desgana paralela a la desgana que el propio Ortega sentía por su propia vida. Porque era su apatía lo distanciador, lo que movía a los demás a irle dejando solo, en paz, a irle poco a poco olvidando, traspapelando su número de teléfono, como a alguien que dulcemente se deja ya por imposible con un sentimiento, en realidad, de alivio. Pero sí que había habido otras personas. Aún las había. Su hermana, por ejemplo. Que aún le escribía fielmente un par de cartas muy sosas al año, invitándole a pasar con ella los veranos en Gijón, o los inviernos, las Navidades, en Oviedo. A esas cartas contestaba siempre con unas cuantas líneas, siempre disculpándose, fingiendo interesarse por los asuntos de su hermana, viuda, con un hijo ya en la universidad. Habían pasado años desde la última vez que se vieron. Y Ortega se alegraba de que aquella distancia se hubiera vuelto más férrea cada vez, consagrada por la costumbre de no verse y de contarse sólo un par de veces al año lo más superficial de sus vidas. Es como si su hermana (y él mismo también) escribieran esas cartas siguiendo una plantilla fija, la misma cada año, como si no hubiera nada nuevo nunca que añadir... «Y no lo hay —pensaba Ortega—, no lo hay. Sólo la conciencia es siempre nueva y yo he desalquilado la mía.»

Por eso esta noche no sentía lástima de sí mismo, sino sólo perplejidad; una perplejidad burlona, amarga, ante la súbita emoción que había sentido hablando dos tardes seguidas con un joven desconocido en plena Gran Vía. Decidió no volver más. Y esta decisión, como un ensalmo, le tranquilizó y le llevó a la cama, a sus habituales siete u ocho horas de sueño. Todo estaba terminado.

Eran las doce de la noche en el reloj de Correos. Quirós se había sentado en un banco al final de Recoletos próximo a la parada de autobuses. Se seguía sintiendo bien, pero el impulso inicial, la deliciosa embriaguez autoperceptiva, había decaído. Y le había dejado como con los sedimentos amargos de la autopercepción. La diferencia entre antes y ahora consistía en que antes la percepción de sí mismo era vital, instantánea, estar sintiéndose vivir era en sí mismo suficiente; mientras que ahora la vitalidad se había diluido dejando una resaca de conceptos ingratos. Un estado de ánimo análogo al que sigue a la estimulación anfetamínica. La excitación sigue ahí, pero la seguridad, la capacidad de sentirnos firmemente hallados en el instante presente, desaparece por completo. La excitación se vuelve inquietud. Y Quirós se sentía inquieto ahora, necesitado de Ortega (que había actuado, sin proponérselo, como una dosis de anfetaminas) para alejar de sí el ambiguo pasado y el complicado, el incierto futuro. Al no sentirse viviendo, no se sentía tampoco con fuerza suficiente para verse desde su propio interior; su interioridad se deshacía invadida por las bruscas generalidades externas, las opiniones de los demás, los papeles que en general le correspondían, sus fracasos... ¿Qué soy yo al fin y al cabo? Había resultado estimulante contar a Ortega que vivía de las mujeres. Ortega, reflexionaba Quirós ahora, parecía incapacitado para verle sin brillo. Cualquier aspecto de Quirós reflejado en Ortega, automáticamente, resplandecía. Bien es verdad que Quirós no había mencionado ninguno de sus fracasos. No había mencionado, por ejemplo, sus mediocres resultados académicos. Aquellos grises cinco años estudiando Sociología. No sólo no había sacado nada en limpio; es que no había logrado interesarse seriamente en nada. Había ido aprobando asignaturas. Y eso era todo. Y había en esto un desafío hiriente: se había sentido incapaz de estudiar largas horas, de concentrarse en temas concretos. Se había declarado vencido ya antes de la

35

lucha. Su relación con Cristina (cuya iniciación había coincidido, más o menos, con sus últimos años en la facultad) había tenido desde un principio, casi como una maldición, un carácter compensatorio. No había encontrado empleo. No los había, quizá, tampoco en abundancia. Tampoco los había buscado mucho. Dar con Cristina había resuelto sus dificultades económicas inmediatas, sus gastos de bolsillo. Y Cristina le había hecho sentirse, sobre todo al principio, requerido y buscado. Atractivo. Pasivo. La manera de ser de Cristina, su sentido común, aquello que Quirós bromeando llamaba algunas veces «su desvergüenza», habían acentuado su pasividad natural, su pereza. Cristina era todo lo contrario. Había luchado para conseguir el puesto que ocupaba, disfrutaba con su trabajo de secretaria, disfrutaba, como vulgarmente se dice, «llevando los pantalones». Cristina había llevado a cabo todos los movimientos, insistido, tomado todas las decisiones. Le había adulado, enamorado incluso, sin preocuparse gran cosa de sí misma, como un hombre. En la energía de Cristina había algo varonil. Pero varonil en el buen sentido de la palabra: en el de la energía y la capacidad de conducir la propia vida sin depender de nadie. A Quirós le había reconfortado que una chica así le solicitara. Ahora, sin embargo, a medida que avanzaba la noche, Quirós se sentía descontento. Pensó: «Estoy vendido.» Y ni él mismo sabía claramente qué quería decir con aquello. Era un concepto vacío. Como una idea tomada de un libro o de un artículo de periódico. Ahora de pronto, ya no era fascinante que las mujeres le mantuvieran. Sino una servidumbre. Y Quirós se daba cuenta de que era la noche quien retorcía los impulsos, quien poblaba su existencia cotidiana de guiños maliciosos, quien le hacía sentirse necesitado, dependiente, confuso. Por eso se levantó y echó a andar, Alcalá arriba, hacia el Retiro. Le acogieron las frondas, la nocturnidad como un ensalmo, la equivocidad de las siluetas. Poco a poco, yendo y viniendo por los sombreados senderos lunares, esquivando burlonamente la nerviosa persecución de los faunos, observando irónicamente el coito furtivo de los polichinelas, logró deshacerse de la murria y de la gravedad identificante del tiempo y diluirse una vez más en el instante de tiza de la luna...

Quirós llegó a casa a las seis de la mañana. Se desnudó y cayó rendido en la cama. Le despertaron, cuatro horas más tarde, los ruidos de la casa, la voz de su madre hablando con la asistenta, primero, y luego con Charito, doña Rosario, por teléfono.

—¡Que sí, mujer, que sí! Pero, ¿por qué no? No seas tan antigua. ¡Tú es que eres muy antigua! (Una pausa. Quirós pensó que su madre escuchaba ahora a regañadientes los argumentos, si es que eran argumentos, de doña Rosario. Podía imaginarla claramente sentada en la salita, encendiendo Fortuna tras Fortuna, colgada del teléfono. Aquellas conversaciones mañaneras —las dos amigas eran muy madrugadoras— de doña Rosario y de su madre eran un ingrediente casi invariable de las mañanas de su casa. Ahora comenzaba su madre de nuevo.)

—Mira, yo lo único que te pido, solamente esto, que accedas a venir. Tan sólo esto. Bien poco es. ¿Cómo dices? ¿Que por qué? ¡Pues porque tú eres mi mejor amiga, la única que tengo! Yo no soy de ésas que tienen veinte amigas. Dios me libre, vaya pécoras, porque hay cada una que pa qué. (Pausa. Quirós sentía alerta del todo ahora. Escuchar las conversaciones de su madre con doña Rosario fue, desde su niñez, parte de los imperativos de la política casera: había que estar al tanto. Siempre había que estar al tanto de las noticias intestinas que su madre transmitía por las mañanas. Doña Teresa siempre lo decía: «Me encuentro como un reloj por las mañanas.» Doña Teresa decía, claro, reló. Muy madrileña ella. Muy adrede. A diferencia del padre de Quirós, que tenía el aire tieso del madrileño de adopción. Un simple provinciano.)

—¡Pero es que mira, Charo, no me saques de quicio, no me,

no me... ¿Cómo que por qué? ¡Pues porque no hay nada de malo, nada, nada! Es lo corriente. ¿Qué edad crees tú que tengo yo? Pues la tuya, pues eso, pues la tuya, pues precisamente por eso, porque somos de la misma edad. No veo por qué te extralimitas de ese modo, porque a ver, a ver, dime tú qué quieres que haga con un chico de veinticuatro, que tiene ya los veinticuatro para cumplir los veinticinco y yo sentada aquí, yo aquí sentada, yo aquí con la asistenta. Yo aquí viendo la tele todo el día, todo el día viendo la tele. Me tienen ya hasta el moño. Porque Faustino era muy bueno. Bueno muy bueno. Todo lo que se diga es poco, pero pelma, pelma, pelma. Porque Faustino era muy pelma. Con lo limpio, mira, con lo limpio, sólo con lo limpio, ya me tenía frita. Que si el comedor estaba sucio, oye. Mira, que en paz descanse, pobre. Porque yo siempre le quise y siempre le querré. (Pausa. Pucheros. Doña Teresa hacía aquí un ahogo con su poquito de sofoco. Y la voz fuerte que tenía de tanto fumar y tanto anís se la engrosaba de emoción, teniente-coronela.) Nunca jamás a nadie como él. Yo a ningún hombre, Charito, te lo juro, a ningún hombre puedo ya mirarle. Porque es que no puedo, porque no es lo mismo, como Faustino un hombre igual nunca le habrá. Ahora, lo mismo te digo lo uno que lo otro. Yo así no puedo. No puedo porque no, porque no me da la gana, porque a mí la vida, pues eso, pues me gusta un poco disfrutarla, lo normal, no estarme atacañada. Y me estoy, me estoy, me estoy, Charito, atacañando, hocicando, me estoy, aquí metida, putrefacta, nada más que la tele, nada más que la asistenta, nada más que mi hijo, mañana, tarde y noche, los hombres tienen sus partidas, los hombres tienen sus cafés, los hombres tienen en el bar, pues eso, echar un mus. Y yo, ¿qué tengo? A ver, dilo tú, di tú qué tengo yo, qué tengo. Pues nada, pues salir contigo, pues ir al Corte Inglés, hacer una compra, y como además, porque es verdad, y eso lo sabes tú igual que yo, como además estoy muy mal, porque de dinero estoy muy mal, porque con la pensión de Faustino no nos llega, no nos llega, porque no me llega. Y claro, este Luis... Sí, se llama Luis, Luis se llama. ¿Cómo dices?

Pues dos, tiene dos, dos hijos tiene. ¿De madrastra por qué? ¿Por qué voy a ir yo de madrastra a ningún sitio? Además los niños son mayores. Luis Angel y María de las Mercedes. Así se llaman... ¿Cómo? No, no, no. Más pequeños que César. Mira, Luis Angel, el mayor, porque la niñita es más pequeña, tiene diecisiete cumplidos. ¡Bueno, pues no sabes qué sol de niño! Altito. Sí, son guapos, son guapos. Sí, los dos, los dos, pero más el chico. Es muy guapo, muy guapo es, muy guapo... Bueno, como Luis. Porque Luis es muy guapo, eh. Ah, sí, eso sí, la planta que te caes. Un metro ochenta de hombre. Y además va estupendo, porque se cuida. Gimnasia, hace gimnasia. No, no va a un gimnasio, la hace en casa la gimnasia. En el estar-comedor supongo que será. ¡Pregúntaselo tú! Tú misma se lo puedes preguntar. (Pausa. Quirós registró el tono victorioso de su madre ganando el corazón de doña Rosario. «¿De qué coño hablarán? ¿Qué se traerán entre manos?» Quirós saltó en cueros de la cama y se acercó a la puerta. Apenas hacía falta porque se le oía a la perfección a doña Teresa ahora.)

—Mira, no es pasión. Ya comprenderás que pasión a mi edad, pues ya pues no. O sea que no es pasión. Ya lo verás tú misma. Sí, moreno, moreno es. Un poquito cano, ya está un poquito cano. Sí, el pelo blanco, pero muy bonito, gris. No, todo gris no, entrecano, entregris muy bonito. Es más alto que yo. Y luego muy delgado. En su punto, porque está en su punto, porque no es que sea tampoco un puro hueso, porque eso no es, está en su punto. Pues mira, y eso sí, en eso como Faustino, el pobre, que en paz decanse. Apoderado de Cartera, fíjate. Yo es que debo de tener para los bancarios una olisma, cosa mala. (Pausa.) Bueno, Charito, hija, eso no sé. Todavía no lo sé. Ahí es donde entras tú. Yo creo que sí, oye, yo creo que sí. Pero ya tenemos una edad, mujer, que ya esas cosas no se dicen, no... Bueno, pues él lo que dice, es que mira, sus hijos van siendo ya mayores y que la soledad es muy dura, porque lo es. Porque llega un sábado, llega un domingo, llega un Corpus y un hombre solo, pues no es plan... Así que yo le dije, mira Luis, comprenderás que yo, si vienes seriamente, lo que quieras. Ahora yo, para *eso* sólo, o sea, exclusivamente, pues no, francamente, pues no. No estoy dispuesta. No estoy dispuesta porque tengo un hijo, porque tengo una edad, pues que no, que no, que para mí no es novedad, Luis... Así mismo se lo dije, como lo oyes. Yo la ilusión, Luis, la ilusión ya no la tengo. Ahora, otras cosas, pues eso tú verás, ahí las tienes, ya las ves, eso le dije. (Pausa.) Ah, yo sincera, sincera sí. La verdad por delante. Oye, y él lo mismo, eh, que sí, que sí, que yo que le gustaba pero que una barbaridad, pero muchísimo. Lo dijo así redondo. Y dispuesto a todo. Así que claro... Yo, si quieres, pues le llamo y esta tarde quedamos ya los tres. Porque yo quiero que le veas. Que tú le veas, que me digas tú si sí o si no, y en razón ya de lo que tú me digas, pues ya eso, ya se actúa, se actúa, o sea, se actúa...

Quirós se había vestido entre tanto. Salió al pasillo. Entró en la salita. Su madre, en bata, le dio un beso. Eran las diez y media de la mañana y doña Teresa dijo que tenía que salir de inmediato a la compra. Quirós vio claramente que no tenía gana de dar en aquel preciso momento explicaciones. Se encerró en el cuarto de baño. Se desnudó de nuevo. Olvidó el incidente mientras se duchaba, pensando en que esta tarde, después de echar la siesta, se iría a las siete a la Gran Vía a ver a Ortega. Pobre Ortega.

—Creía que no vendría usted —dijo Quirós, y se levantó para hacer sitio a Ortega, que acababa de llegar con una hora de retraso. Eran las ocho de la noche.

—Pues ya ves... —Ortega no trató de disculparse siquiera. Aquel asunto de ir o no ir a encontrarse de nuevo con Quirós le había ocupado la mañana entera en la oficina. Y la tarde entera hasta las ocho. Hubiera podido dar cualquier disculpa. Hubiera *debido* incluso disculparse porque una disculpa trivial, incluso una disculpa obviamente insignificante, hubiera restado importancia a su presencia allí. Hubiera, por ejemplo, vuelto triviales ante sí mismo (y esto era lo más importante) las razones para no acudir o para acudir a la cita. Pero el hecho es que toda una larga vida de soledad y de pasividad había vuelto a Ortega mortalmente serio acerca de sí mismo. No podía obrar casualmente. Y si bien es verdad que casi nadie, ante un asunto que le preocupa, llega a obrar casualmente (a lo más que llegamos todos es a conferir una apariencia fortuita a nuestros actos más deliberados), Ortega se hallaba imposibilitado ahora incluso de ofrecer una apariencia casual. Su frase, al saludar a Quirós, era casi un puro emblema de su derrota. Con la poca capacidad de distanciamiento que todavía le quedaba, Ortega observó de reojo a Quirós y pensó que quizá el muchacho no había advertido del todo el estado de ánimo de su nuevo amigo. Y cabe pensar que Quirós no fue, al principio al menos, *enteramente* consciente de la peculiaridad de ese estado de ánimo.

—Pues sí —repitió—, creía que se habría olvidado usted...

—¿Y no te extrañaba eso?

—¡Hombre, un poco sí, la verdad!

—Un poco bastante —Ortega sentía la camisa empapada de sudor y una especie de desinterés o de descuido, o de falta de inhibición, análoga a la que se siente en los estados de embriaguez. Uno ha pasado ya la barrera del reconocimiento de la distancia que nos separa de los otros y la conversación, el monólogo fruto de la ebriedad es cada vez más fluido, más revelador sin que queramos del todo que lo sea y a la vez sin que nos importe que lo sea. Hay en esos momentos una situación gratificadora de cuya peligrosidad somos conscientes pero sin que serlo nos lleve a tomar medida alguna. Ortega se hallaba en esa situación cuando, tras haberse acostado la noche anterior decidido a no prolongar aquella relación, y tras haberse levantado decidido a prolongarla y pasar el día yendo y viniendo de una alternativa a otra, había

41

acabado por ponerse en camino a la Gran Vía a las seis de la tarde, retrasándose, sin embargo, una hora con la esperanza de que la situación se arreglara por sí sola. Como la esperanza vana de un animalillo que se agazapa tratando de pasar inadvertido. Ortega se retrasó una hora convencido de que Quirós se impacientaría y se iría. Y que al llegar a la terraza de la Gran Vía y no encontrarle, sabría ya Ortega exactamente que la situación estaba, por sí misma, agotada y conclusa. Y al revés, si al llegar Ortega Quirós seguía allí... ¿Qué conclusión se seguiría de esto? Ninguna, en realidad. Ortega había vuelto sencillamente al punto primero de su argumentación. A tener que decidir por sí mismo si deseaba concluir aquello o no. Su pasividad habitual había topado, al dar con Quirós, con una pasividad aún mayor, aún más refinada y voraz que la suya propia.

Quirós estaba tomando un café con hielo y Ortega pidió lo mismo.

—¿Llevabas mucho tiempo esperando? —preguntó Ortega vanamente.

—No, no mucho. Me he distraído viendo pasar a la gente. Es una cosa que siempre me distrae.

—Siempre pasa la misma gente —murmuró Ortega.

—Bueno, no creo que sean los mismos. E incluso aunque lo fueran... Es entretenido verlos, observar las repeticiones, los personajes fijos. Cada esquina de Madrid tiene su fisonomía fija. ¿No lo ha observado usted? El hombre del kiosko, la mujer de los caramelos, el conserje y los botones de un hotel, el dueño de una zapatería, los parroquianos de un bar... Y también en la Gran Vía es así... No hay que dejarse engañar por toda esta multitud transitoria. Nosotros mismos, nosotros dos, que llevamos ya tres días seguidos viniendo aquí, ya somos conocidos, un poco por lo menos. Cuando me senté, nada más sentarme ya me preguntó el camarero si tomaría un granizado de limón, porque eso es lo que habíamos tomado las dos veces anteriores, no se les escapa nada... Es a nosotros, a los... —subrayó Quirós con una sonrisa maliciosa— ... protagonistas, por así decir, a quienes casi todo nos pasa desapercibido... Se le ve a usted cansado. ¿Ha pasado mala noche?

—No, no es nada. Yo soy Cáncer, y los cánceres tenemos días así. Estoy contento de estar aquí contigo otra vez...

—Pues yo he dormido poco. Me pasé la noche dando vueltas...

—¿Dando vueltas en la cama?

—Dando vueltas por Madrid... Hasta las seis de la mañana o las siete. He dormido sólo cuatro horas.

—¿Y cómo así?

—Pues ya ve. No tenía sueño. Después de nuestra conversación se me quitó el sueño.

—Lo siento mucho —exclamó Ortega.

—No hay nada que sentir. Al contrario. Lo pasé muy bien dando vueltas. Fue una experiencia interesante, importante. Ya le dije que nunca había encontrado nadie como usted.

—¿Pero vueltas por dónde?

—Por todo Madrid, por todas partes. Es una cosa que hago a veces. Por las noches. Lo mismo en verano que en invierno. No sé por qué. Bueno, sí sé por qué...

—¿Y por qué? —Ortega añadió precipitadamente—: Quiero decir que por qué crees que lo haces... —Ortega se quedó pensativo un momento y, antes de que Quirós tuviera tiempo de contestarle, prosiguió—: Yo también a tu edad fui muy noctámbulo. Pero en mi caso era distinto. Yo... Yo estaba inquieto entonces. Introvertido e inquieto a la vez. Una personalidad muy distinta de la tuya. Una inquietud erótica, yo supongo. Las noches son tentadoramente irónicas y eróticas...

—Sí que lo son. Sobre todo ahora —dijo Quirós.

—¿Por qué ahora sobre todo? —preguntó Ortega—. ¿Qué quieres decir con eso?

—Bueno, no sé. Madrid está al rojo vivo. Eso dicen, ¿no?

—Sí, eso dicen.

—Claro, que no es tanto como dicen. Se exagera mucho. Es en cuatro sitios que todo el mundo sabe. Siempre se ve lo mismo...

Ortega se sentía interesado a su pesar. O quizá no interesado, sino más bien inquieto, como cuando un espectáculo inesperado en plena calle reclama nuestra atención, nos violenta, nos hace detenernos, *casi* a pesar nuestro. Todo depende, claro está, de este *casi*...

—Lo que me choca un poco, francamente —dijo Ortega—, y perdona que me meta donde nadie me llama, es eso que me dices de la inquietud por las noches. Lo mío era distinto. Al fin y al cabo yo estaba solo en Madrid, me sentía muy solo... Pero tú, tú tienes tu casa, la casa de tu madre. Tu novia. Tiene que ser completamente distinto en tu caso... —Ortega reconoció mentalmente ante sí mismo que era ahora, o mejor dicho, inmediatamente antes de esta última frase, cuando debió detenerse. No haberse detenido, arrastrado por una curiosidad más fuerte que él, era evidentemente lo que había querido evitar no acudiendo a la cita, y que, al acudir, había ya de raíz vuelto inefectivo...

—Mi novia es otra cosa. Es otra relación. Se asombraría si supiera la vida que hago por las noches, algunas noches... Como no tengo nada que hacer, ni oficio ni beneficio, como la mayoría, pues duermo las mañanas... ¡Claro que si mi madre me deja, pues no arma poco escándalo! Son dos mundos que no tienen nada que ver: el diurno y el nocturno. Por la noche se siente uno más ágil. No sé si usted se acordará, pero una de las cosas más interesantes que le pasan a Mr. Hyde es que cuando cambia de personalidad, cuando se vuelve un enano asqueroso, un asesino, se siente ágil, se siente muy ágil, correteando, cuando la emprende a palos con la vieja aquella, o el viejo, no me acuerdo...

—Sí, me acuerdo de esa escena, claro, me acuerdo muy bien de lo que dices. Pierde sus inhibiciones...

—Ya. Pero es más que eso. Es una nueva naturaleza que tiene que ver con el aliento de la noche, con la malicia de la noche... La noche en nuestro mundo occidental se ha hecho para el descanso porque hay que levantarse a trabajar por la mañana. Pero, ¿y si no hubiera que levantarse nunca a trabajar? Entonces todo cambiaría. Todo es un poco una cacería por las noches... Somos cazadores y cazados porque no se distingue claramente nada...

Lo más evidente, lo más inmediato es el latido de la propia sangre, la propia conciencia encabritada. Un erotismo indefinido... Yo lo veo así por lo menos...

—Y tu novia... —iba a interrumpir Ortega.

—Mi novia no tiene nada que ver con eso. Es justo lo contrario. Para ella las noches son para dormir. El ocioso soy yo. El parado soy yo, la conciencia que se contempla a sí misma soy yo. Me devoro a mí mismo. Y hay otros devoradores... Por las noches, quiero decir. Parecidos a mí, que me persiguen o a quienes persigo, que me comprarían si pudieran, que me encerrarían si pudieran, como a un animal, en una jaula. ¿Le gustan a usted las películas de Pasolini?

—Son curiosas, sí. Nunca he acabado de saber si me gustan o no...

—Le veo a usted mal esta tarde, no sé, como retraído. Todavía no me ha dicho por qué ha llegado con una hora de retraso...

—¡Ah, quieres decir que te debo una explicación! ¿No es eso?

—No, no. Usted no me debe nada a mí. Creí que no vendría. Pero me quedé esperando tanto tiempo porque... porque me chocaba mucho. O sea, estaba seguro de que tendría que venir...

—¿Estabas seguro?

—Pues sí, sí. Casi seguro.

—Pero, ¿por qué?

—Ya ve, eso no lo sé. Eso sí que no lo sé...

—Algún motivo tendrías.

—Hombre, hay uno. Lo que pasa es que no es muy allá.

—¿Cómo muy allá? —Ortega encendió un pitillo y aspiró profundamente el humo. Pensó: «ya es demasiado tarde. No debería haber venido. Dejarme arrastrar. Es el mismo error de siempre.» La melancolía (una profunda melancolía compuesta a partes iguales de cansancio ante sí mismo y de sentimiento de inevitabilidad) se había contagiado a todas las perspectivas rosáceas del atardecer, a todo el rumor de la populosa calle, carente de forma—. ¿Y qué motivo era ése, si puede saberse?

—Sería la primera vez que me pasara: quedar con alguien y que después no venga. Nunca me ha pasado. Sentía curiosidad, se lo digo francamente. Creí que era usted tan diferente, tanto, tanto, que no vendría por tercera vez. Pero me equivoqué. O sea, al revés, acerté. Por fin, vino.

—Todos venimos siempre, ¿no?

—Pues sí. Es lo normal. No es que yo crea que sea nada raro. Lo lógico y normal, si se queda con alguien, es venir... Yo nunca he dejado plantado a nadie.

—Ya. Pero no es eso lo que tú quieres decir. Ahora te vas por la tangente...

—Bueno, un poco. Es que ya le digo que el motivo, el último motivo que tenía yo para saber seguro que vendría, no es un motivo muy allá, es simplemente vanidad. Estoy acostumbrado a esto...

—No resulta muy halagador para mí —comentó Ortega secamente—. Claro, que lo tengo merecido...

—Tampoco hay que tomarlo así. Usted se ha empeñado en preguntarme. Y algo tenía que contestar...

Ortega observó ahora a Quirós de arriba abajo. «Un semejante —pensó—. ¿Es este chico un semejante? ¿Es ésta la lucidez que andaba yo buscando? Porque si fuera así, mis propios defectos me habrían conducido a un final feliz. Y no hay finales felices. Mis propios defectos me han conducido hasta aquí. Pero no hay finales felices. Luego no he dado con lo que buscaba ahora tampoco, porque lo que yo busco no existe. O si existe, se parece más a la muerte que a la vida. Pero ahora ya sé que no puedo marcharme tan tranquilo y olvidar estas tres tardes. Atardece y no se ha quedado nadie con nosotros. Y nadie vendrá luego más tarde. Lo ocurrido es, sí, un acontecimiento, un milagro. Pero no es fruto del bien, sino del mal.»

—Son casi las diez de la noche —dijo Ortega consultando su reloj—. ¿Vas a volver mañana?

—Mañana, no lo sé. Es el día en que salgo con mi novia. El domingo.

—Si quieres te dejo mi teléfono, me llamas cuando puedas.

—Yo por mí encantado...

Y mientras le daba, apuntándolo en una servilleta de papel, su teléfono, Ortega creyó percibir en Quirós una maliciosa sonrisa desilusionada.

—¿Al cine? —Cristina daba la espalda al decir eso. Sentada al tocador, arreglándose la cara. Quirós recorrió la familiar habitación de Cristina. Una habitación no muy grande en un ático de la parte alta del barrio de Salamanca, un sitio no del todo elegante pero caro en cualquier caso. Creyó percibir un cierto cansancio en aquella frase. Una especie de apatía, parecida a la suya.

—Bueno, si no te apetece... —Quirós dejó la frase en el aire.

—Sí, ¿por qué no? Vamos, si tú quieres, podemos ir al cine, a mí me da lo mismo...

—No parece que tengas mucha gana...

—Pch... ni mucha ni poca, me da igual... No hay ninguna película...

Cristina se volvió hacia Quirós, en redondo en su taburete giratorio. Era una chica guapa, cinco años mayor que Quirós. El color tostado de los brazos y los hombros que resaltaba su traje de verano, una falda de vuelos.

—Ese traje es nuevo. Me gusta.

—¿Te gusta? Vuelve la moda de las faldas anchas... Si quieres ir al cine, tenemos que salir ya. Son las siete de la tarde. —Cristina consultó su elegante Cartier.

—No me parece que tengas mucha gana.

—¡Y dale! Me da igual. Me divierte ir al cine. ¿Por qué no? No vamos a pasarnos aquí toda la tarde...

—Aquí por lo menos se está fresco...

—Demasiado. Es una refrigeración exagerada.

—Pero, ¿qué te pasa?

—¿Quieres saberlo de verdad?

—No sé si de verdad. Pero me gustaría que me dieras alguna explicación. Verdadera o no, eso es lo de menos. Se te ve rara.

—Estoy, sí, un poco cansada. Necesito unas vacaciones.

—Mira, en eso tienes suerte. Yo en cambio no. No necesito vacaciones. Yo he pasado directamente del paro al ocio, ya ves tú.

—¿Y qué? ¿No estás contento? Yo lo estaría en tu lugar.

—Estarías desesperada en mi lugar. La ociosidad es una sabiduría.

Cristina buscó en su bolso y sacó cinco mil pesetas. Se las tendió a Quirós sin decir nada. Se levantó y fue hacia el armario en busca de sus zapatos.

—Con la mitad tenemos bastante.

—No tengo cambio. Tengo gana de gastar dinero.

—Siempre dices lo mismo. Luego nunca gastamos nada. Es incómodo.

Cristina se había vuelto hacia Quirós, que le daba la espalda ahora.

—¿Por qué incómodo? ¡Si encima me dices que es incómodo me pones a mí incómoda! ¿Qué quieres que haga? ¿Quieres que te abra una cuenta corriente?

—Puedo convidarte yo al cine. Hasta ahí llego.

—¿A qué vienen ahora esas bobadas? ¿Me he quejado yo de algo?

—Si no te conviene lo dejamos.

—¿Me he quejado yo de algo?

—Te vuelvo a repetir —Quirós no podía reprimir la impaciencia, el mal humor— que si no te conviene lo dejamos.

—¿Lo quieres dejar tú?

—Yo no, ¿por qué?

—Entonces no sé a qué vienen estos dimes y diretes. Estoy cansada de esto.

—Estás cansada de algo. No sé de qué. Quizá de esto. O de ti misma. No lo sé.

Cristina anduvo unos cuantos pasos hasta llegar frente a Quirós. Apoyó una mano en la cadera. Tenía buen tipo. «Seguro que podría encontrar a uno cualquiera en su oficina», pensó Quirós.

—Tengo suerte —dijo Quirós, sonriendo—. No todo el mundo tiene la suerte de encontrarse como yo con una chica guapa que encima le da para sus gastos.

—Tienes más suerte que algunos y menos que otros. A mí me conviene este arreglo. Otras se lo gastan en gasolina. Yo lo gasto en ti.

—Franqueza por franqueza —dijo Quirós—, yo soy un tipo lucido.

—A mí me caes bien —dijo Cristina.

—Ya sabes, que si quieres... a tu disposición.

—No seas vulgar.

—No soy vulgar. Como hablabas de la gasolina. Lo decía por si te va la marcha. Contigo nunca se sabe.

Cristina volvió a sentarse en el taburete del tocador. Había un gesto ambiguo en su cara. Como si se sintiera mortificada por aquellas frases que, a decir verdad, no eran sino algo corriente entre ellos. Ambos habían decidido, muy desde un principio, que no se engañarían. Cristina lo había hablado todo, o casi todo, ella sola. Cristina tenía horror a la insinceridad. Y se pasaba a veces de cínica. De hecho, un cierto cinismo calculador y desapasionado, por lo menos en apariencia, era el sentimiento más constante entre ellos y que más definitivamente les unía. «Ninguno de los dos nos hacemos ilusiones», había dicho Cristina, al poco tiempo de conocerse en una discoteca de la calle de Orense. De esto hacía ya tres veranos. «Tú ya no eres un niño y yo tampoco. Es lo que me gusta de ti, lo que me gusta más de ti. Yo estoy acostumbrada a vivir bien. Tengo dinero por mi casa. Pero me gusta mi trabajo. Lo hago muy bien y me gusta. No tengo gana de casarme. Pero algunos días, algunos fines de semana, echo de menos a un hombre. Podría liarme con cualquiera, si me diera la gana. En la oficina o fuera de la oficina. Pero tú me diviertes. Y además me gustan chicos más jóvenes que yo. Y tú eres inteligente, no hay más que verte. Y yo soy inteligente también, no hay más que verme. Sólo tengo fe en el dinero. Pero no me gustan los hombres de carrera. Los ejecutivos a quienes trato me resultan una panda de mequetrefes. Me gustas tú porque pasas de todo y porque creo que me puedes dar lo que yo quiero. Y yo a ti, sin que ninguno de los dos nos enredemos en líos que no valen la pena.» Aquel discurso le había complacido a Quirós aquella noche hacía tres años. Luego las cosas en la cama fueron bien. Y Quirós, con veintiún años, se sintió envanecido por las atenciones de aquella chica mucho mayor que él, cinco años mayor, que parecía saber a qué atenerse y que jugaba limpio y duro. Y era delicioso que en la cama tuviera todavía Quirós algunos trucos que enseñarla. Recordaba Quirós cómo se reía, con los dientes muy blancos, una dentadura perfecta, sin ningún empaste, de chica americana; o de lo que Quirós llamaba así. «¡Pero si eso que dices, eso, tío, es porno duro, el niñito lo que sabe!» «¡No le eches cuento! ¿Me vas a decir que no has hecho nunca nada de esto? Ya no eres una niña.» «Contigo esto es la primera vez.» Y Quirós se había reído. Los dos se habían reído. Recíprocamente inspirados, admirándose desnudos en la cama ancha de Cristina. «Seguro que has traído aquí miles de tíos», le dijo Quirós. «Algunos. Menos de los que crees. Me gustas tú. Soy muy escogida, no creas.» Y Quirós recordaba ahora cómo tres años atrás se había sentido endiosado con aquello, reafirmado. Como si el atractivo sexual que evidentemente inspiraba en Cristina fuera un espejo inmaculado y grandioso. Y así habían seguido tres años, sin que las cosas cambiaran mucho en la cama, pero sintiéndose Quirós un poco menos seguro cada vez. Ahora mismo, al oír hablar a Cristina con aquella frialdad que al principio tanto le halagaba, sintió una oscura, ñoña, pena por sí mismo. Cristina parecía ahora divertida. Como si hubiera sido claramente consciente durante el rato que los dos habían pasado en silencio de los sentimientos de Quirós, de sus recuerdos, de la imagen levemente inexacta de su relación que Cristina había inducido en la conciencia de Quirós y a la que Quirós se había dejado arrastrar por vanidad, más que nada.

—¿Tienes hambre? Tienes cara de hambre —dijo Cristina ahora, y se echó a reír.

Quirós miró el reloj y sintió que aún faltaran cuatro o cinco horas para irse. Se sintió solo e incapaz. Y pensó en Ortega, amargamente, con algo muy parecido al amor, o al resentimiento.

—¿Puedes venir aquí un momento, César?

Era lunes por la mañana. Las once. Quirós se había levantado tarde. Había desayunado despacio. Se sentía de buen humor. Se daría una vuelta hasta el Retiro. A leer el periódico. Luego a casa, a comer. Dar una cabezada quizá. Quizá llamar a Ortega. O, mejor, no. No llamar a nadie esta tarde. Dejar pasar el tiempo hasta la noche. Y salir con la fresca, un par de horas, a las diez o a las once. Un día anónimo, tranquilo, sin ningún sentimiento. Sólo la sensación de bienestar yendo directamente de dentro afuera. Como un origen indiferenciado y puro de satisfacción vital... Un día más, sin pena ni gloria, como deben ser los días. Entretenido con sus propios pensamientos que se deslizan silenciosos... La voz de su madre desde el cuarto de estar le sobresaltó desagradablemente. Le recordó, sin saber por qué, la voz de Cristina, ayer noche. Cristina toda entera ayer noche, que le había humillado, sin proponérselo quizá, recordándole tan sólo la ambigüedad de su condición, su dependencia.

Entró en el cuarto de estar. Su madre estaba sentada en la esquina habitual del sillón, frente a la tele, como si contemplara un espectáculo de televisión invisible. Su madre le indicó con la mano, dando un par de golpecitos al asiento de al lado, que se sentara junto a ella. Esto era infrecuente. Lo mismo que el hecho de que su madre estuviera ya vestida de calle. Y no en bata. Su madre encendió un Fortuna.

—Tengo que hablarte, hijo. —Doña Teresa dejó que el humo la envolviera, antes de proseguir. Se quitó una mota de tabaco de la lengua con el pulgar y el índice de la mano izquierda, sacando un poco la lengua entre los dientes muy blancos. Quirós observó que había una mella de pintura de labios en los dientes delanteros.

—¿A estas horas? —Quirós miró su reloj.

—¿Es que tienes prisa?

Quirós creyó detectar un punto de impaciencia en la frase. Una vez más se acordó de Cristina difusamente.

—No. Ninguna, ¿por qué?

—Es que como te veo mirar el reloj...

—Bueno, un gesto instintivo... Iba a dar un paseo.

—Es sólo un momento...

—No tengo nada que hacer. Tenemos toda la mañana...

—Bueno, eso tampoco. Yo, es que tengo que salir. He quedado.

—¿Has quedado con Charito?

—No. Con Charito no. Estuve ayer con ella. De eso quería hablarte.

Doña Teresa no solía andarse por las ramas. Por eso le chocó a Quirós ahora que tardara tanto en decir lo que fuese. Parecía, efectivamente, indecisa o, para ser exactos, lo contrario de indecisa: tan decidida que las ideas de lo que pretendía decir eran tantas y querían ser pronunciadas todas tan a la vez, que doña Teresa había enmudecido *ex abundantia cordis*.

—Tengo que decirte una cosa.

—Eso ya lo veo.

—No estás de muy buen humor que digamos, hoy por la mañana.

—¿Que no estoy de buen humor? No sé, si tú lo dices...

—No, es que te veo así como algo raro...

—A ver, di lo que sea.

—Es que, mira hijo... me encuentro un poco sola. Tú ya sabes que desde que murió tu padre, pues no salgo de casa...

—Hombre, algo sales...

—Bueno, ya me entiendes... Que me encuentro sola. Estoy un poco sola...

Quirós recordó de pronto la conversación telefónica de hacía dos días. El tono de voz de su madre era el mismo. Un tono de voz a la vez decidido y meloso. Ligeramente repulsivo como una bebida demasiado dulce. Quirós recordó haberse preguntado entonces qué demonios se traería su madre entre manos. Ahora, por fin, iba a saberlo...

—El caso es, pues que he conocido a un hombre, de mi edad, también viudo. En fin, pues que estamos saliendo, así bastante.

—Ah, pues enhorabuena —murmuró Quirós—. ¿Qué tiene eso de malo?

—Nada. De malo, nada. Es lo que le digo yo a Charito. Me alegro de que tú también estés de acuerdo.

—¿De acuerdo? ¿Por qué no voy a estar de acuerdo? Ya tienes edad de salir con quien te dé la gana —Quirós se sintió ridículo y, sin saber por qué, nervioso. Como si le avergonzaran aquellos titubeos de su madre. Doña Teresa rompió a reír forzadamente.

—¡Por Dios, qué cosas tienes, hijo! ¡Es que me haces hasta reír!

—Yo no le veo la gracia.

—¡Pues la tiene, no creas, la tiene!

Quirós se cruzó de brazos.

—Tú dirás...

—Es que me gustaría a mí que tú le conocieras. Que vieras cómo es, vamos...

—Me fío de tu buen gusto.

—Ay, si no es eso, hijo, si no es eso... Lo que yo te quiero decir es, pues que, en fin, nunca se sabe. Y que vas a lo mejor, pues a tenerle de padrastro...

—¡Vaya prisa que os estáis dando!

53

—Es que, hijo, mira, los dos tenemos ya una edad que no se puede andar ya con tonterías. A nuestra edad se ven ya las cosas de otro modo. Ya no es un noviazgo. Ya es que sí o que no. ¿Qué? ¿Qué me dices?

—¿Cómo que qué digo? ¡Pues allá tú! ¡Yo qué sé!

—¡Es que no es allá yo, hijo, es que no es allá yo! ¡Es que no es eso!

—Si te vas a casar con él no tienes que pedirme a mí permiso, haz lo que te parezca bien.

—Es que, compréndelo, que estoy muy sola, que tú ya eres mayor, que cualquier día, pues tú te vas y adiós...

—Eso no lo veo muy probable, al paso que voy...

—Yo ya sé que estás muy bien en casa, ¿dónde vas a estar mejor que en tu casa?

—Pues en ningún sitio... —Quirós no pudo evitar una cierta socarronería al decir esto.

—Pero es que claro, si Luis y yo, pues eso, nos casamos, claro, ya las cosas cambian. No podría yo ocuparme de dos casas. Eso es imposible, a mi edad ya eso es imposible. ¿Verdad que lo comprendes?

—¿Me estás diciendo que yo ya estoy aquí de sobra?

—¡De ninguna manera! Pero, por otra parte, tendríamos que arreglarnos de otro modo. Arreglar las cosas de otro modo. Y por eso es por lo que quiero yo que lo primero os conozcáis Luis y tú, que os tratéis... Mira, hijo, yo creo que lo más importante de todo en esta vida es la comunicación. Los seres humanos es que si no se comunican, no viven...

Quirós se levantó para disimular su impaciencia. Apagó el cigarrillo mediado en un cenicero. El mal humor que sentía le sorprendía a él mismo. Para disimularlo dijo todo lo suavemente que pudo:

—O sea, que quieres que nos encontremos este Luis y yo... ¡Pues nada, por mí no hay ningún inconveniente, cuando tú digas...! Ya sabes que yo, como estoy en el paro, tiempo es el único lujo que tengo.

54

Quirós creyó que su madre iba a añadir algo. Pero, en contra de lo que Quirós pensaba, doña Teresa parecía muy dispuesta a dejar ahí las cosas. Ella misma se levantó también. Con un movimiento decidido, casi ágil.

—Ya sabía yo que reaccionarías bien. Estaba segura.

—¿Cómo quieres que reaccione? ¿Me queda alguna alternativa?

Pero doña Teresa ya se iba. Quirós pensó: «Esto se me viene abajo. Esto se va a la mierda.» Y salió a la calle. Fue al Retiro pero no compró el periódico. Dio vueltas de un lado a otro hasta la hora de comer. A las dos llamó a Ortega. El teléfono sonaba y nadie lo cogía. Recordó que hacía jornada continua. Volvió a llamarle a las tres y media sin ningún resultado, y luego, nuevamente a las cuatro. Ortega cogió el teléfono. Quedaron en verse en casa de Ortega aquella misma tarde a las siete. Quirós se sintió mucho mejor. Se tumbó a echar la siesta y durmió tranquilo durante una hora. Luego se duchó con calma. Ortega había aparecido en buena hora.

Quirós llegó con mucha anticipación. Se trasladó a Ríos Rosas, innecesariamente, en taxi. Y se encontró con que eran sólo las seis y cuarto de la tarde. Hacía calor aunque Quirós no lo notaba. ¡Tantas cosas dependían de este encuentro! Se había duchado y cambiado de ropa. Unos pantalones de mil rayas y una camisa blanca de verano de manga corta que hacía resaltar sus brazos morenos y su cara tostada por el sol. Quirós cogía color enseguida. Después de la sesión de ayer tarde con Cristina y de la conversación con su madre hoy por la mañana, el encuentro con Ortega a media tarde le había reanimado prodigiosamente. Ortega había sonado contento de oír su voz por teléfono. Como si le esperara. Y Quirós se había sentido efectivamente, mientras se duchaba, esperado. No había logrado establecer todavía para sí mismo una clara idea de lo que las conversaciones con «sus dos mujeres», como él decía, representaban en realidad para él. Sólo, de momento, una sensación difusa de disgusto, como si las cosas no salieran a pedir de boca sin que, sin embargo, pudiera decirse todavía que iban mal, o que habían de ir mal en el futuro o, sencillamente, que iban a cambiar notablemente. Entró a una cafetería y se sentó en la barra. Pidió un café con hielo. La cigarrera sólo tenía Winston. Y Quirós compró un paquete de Winston americano, a doscientas pesetas, en un gesto mentalmente ampuloso de bienestar. Se sintió observado por los parroquianos. Por dos chicas, especialmente, que tomaban café sentadas a una mesa justo detrás de él. Quirós sabía que hablaban de él. Y se volvió de lado, de perfil, al oírlas reír, con una risita tonta de colegialas. Aún le quedaba media hora hasta las siete y Quirós sentía la impaciencia y la curiosidad mezclándose en su cabeza como una bebida desusadamente fuerte. Llegó a pensar: «Podría prescindir de Cristina, al fin y al cabo.» Pero el por qué este sentimiento de independencia emergía con tanto vigor ahora no quedaba claro. Quirós había adquirido con los años una cierta costumbre y habilidad para el autoanálisis, que, sin embargo ahora, le fallaba, como su hubiera de vencer una resistencia más fuerte que de ordinario. Su habitual lucidez aparecía turbada por un sentimiento impreciso de bienestar. Se sentía seguro de sí mismo con una seguridad irónica puesto que Quirós sabía que su seguridad en sí mismo procedía ante todo de saberse un chico guapo. De saber que, por encima o por debajo de todas las cosas que Ortega había dicho —y que Quirós había olvidado por completo, como si todas ellas se resumieran en un único cumplido impreciso y gratificante—, lo que verdaderamente había atraído a Ortega era su apariencia.

Se dispuso a salir a las siete menos cinco. Se encontró, como Ortega ya le había advertido, con el portal cerrado. Pulsó el timbre del portero automático, el séptimo izquierda. Oyó la voz de Ortega preguntando quién es. Contestó: «Soy yo», y empujó la puerta cuyo mecanismo de apertura sonaba simultáneamente. Era un portal anticuado, de los años cincuenta quizá. Un ascensor de metal, una caja estrecha, con un espejo alargado al fondo. Cuando llegó arriba, al séptimo, Ortega le esperaba ya en el descansillo, abierta la puerta de su casa. Le ayudó a abrir la verja del ascensor. Ortega, en mangas de camisa, parecía más viejo, más tripón que con chaqueta. Ortega le hizo pasar a la casa. Quirós lo observaba todo con curiosidad, sorprendido. Los libros ocupaban ya toda una pared del recibidor. A la izquierda una puerta abierta daba entrada a una habitación con más libros que llegaban hasta el techo. El mobiliario era anticuado, escaso además aunque no, pensó Quirós, de mal gusto, confortable. Muy diferente del mobiliario pretencioso de su casa o del mobiliario impersonal, funcional, secretarial de Cristina. Por una feliz combinación, probablemente inconsciente, le pareció a Quirós que, al decorar aquella habitación, se habían evitado los dos absurdos extremos de lo extraplano e insulso y de lo isabelino, azucarado y falso.

—Qué sala tan bonita —dijo Quirós.

—Es cómoda. Aparte los libros no hay nada de valor.

—¿Los ha leído todos?

—Bueno —dijo Ortega sentándose frente a él en una butaca—. Aquí hay en realidad dos bibliotecas: la de mi padre y la mía. Yo he leído mi parte, por así decir, literatura inglesa sobre todo y algo de filosofía. Mi padre era catedrático de instituto, catedrático de filosofía. La mayor parte de todo esto es suyo. Los libros acompañan aunque no se lean, por eso los he conservado...

—Estamos mejor aquí que en la Gran Vía —dijo Quirós.

—Sí, yo también lo creo.

Le pareció a Quirós que había una cierta tirantez entre ellos. Como si el hallarse sentados frente a frente, envueltos por aquella intimidad mayor del piso, les cohibiera a ambos.

—Se está muy bien aquí, muy fresquito...

—Es que lo tengo muy estudiado, las corrientes de aire. Este piso, de todas maneras, es más agradable en invierno, ahora está muy bien pero es porque no está haciendo calor fuerte. No sé, quizá el año que viene me decida a poner refrigeración... ¿Qué tal con tu novia?

—Bien —contestó Quirós secamente. La imagen de Cristina se salía del marco tranquilo de aquella habitación. Sobraba allí.

—¿Sólo bien?

—Como siempre.

Ortega sonrió, no atreviéndose a seguir. Le agradaba aquel chico, tan joven, que parecía hallarse milagrosamente allí, haciéndole compañía a aquella hora melancólica y cálida del atardecer. Y que el chico pareciera a sus anchas, sentado en el butacón que solía ocupar el propio Ortega, le pareció una muestra inequívoca de que aquella relación había de ser más clara y más satisfactoria que ninguna de las anteriores. Las pocas que había tenido. Y le parecieron también sus temores infundados, sacados de quicio por la soledad en que vivía.

—Le habrás contado a tu novia que te encontraste con un tipo extraño en la Gran Vía, ¿no?

—Pues no, la verdad —contestó Quirós. Y le complació ver que la respuesta había complacido a Ortega.

—¿Por qué no? —preguntó Ortega.

—¿Y por qué iba a contárselo? Nuestra relación es muy especial. Los dos somos muy independientes. Hoy en día una novia es como un compañero, como un amigo. Yo lo veo así por lo menos. Son mundos separados.

—¿Es que no tienes confianza con ella? —Ortega sintió haber hecho esta pregunta que le pareció decididamente demasiado personal. Quirós, sin embargo, no daba la impresión de sentirse ofendido. Ni siquiera interrogado.

—Sí, tenemos confianza. Pero a cada cual le gusta tener su mundo aparte. Es mejor así. ¿Y usted? ¿Vive usted siempre aquí solo?

—¿No me vas a tratar nunca de tú?

—Puedo intentarlo si quiere...

—Inténtalo, al fin y al cabo, si vamos a ser... —Ortega titubeó. Y Quirós no hizo nada por adivinar el final de la frase que Ortega había interrumpido. Se sentía a sus anchas. E incluso la leve sensación de intimidad forzada contribuía a alegrarle, a hacerle sentirse en posesión de todos los hilos de toda aquella relación que se formaba ahora...

—¿Vives siempre aquí solo? ¿Qué, qué tal suena?

—Suena muy bien. Como es debido —Ortega se detuvo como si tratara de decidir entre varias respuestas posibles, elegir una—. Sí, siempre.

—Si yo tuviera una casa como ésta, traería chicas aquí, yo qué sé, montaría una fiesta... Es un sitio bonito. Y con terraza...

—Bueno, la terraza está muy descuidada. Hace años me ocupaba más de la jardinería. Tenía petunias blancas muy bonitas los veranos. Pero he perdido el interés. Hace demasiado calor en verano. Además, ¿a quién voy a traer? Estoy ya viejo para esas cosas...

—De eso nada. Los he conocido yo mucho más viejos, que se lían más que una persiana...

—Ya. Eso va en maneras de ser, supongo. Me falta la energía suficiente. Porque es una cuestión de energía, yo creo. De ganas de vivir...

—No tiene usted, bueno, tú, ¿no tienes ganas de vivir tú?

—Hombre, sí. Como todo el mundo. Pero prefiero quedarme como estoy. Una vida apagada. Se corresponde mejor con todo lo demás... —Ortega hizo un gesto ambiguo.

—¿Qué es todo lo demás?

—Todo esto, no sé, el recuerdo de mis padres, mi propio fracaso, al fin y al cabo, que ha ido empolvándolo todo un poco, volviéndolo pasivo... No lo sé muy bien. El hecho es que me he acostumbrado a ir viviendo así, solo, en silencio... Me temo que esta casa te resulte un poco deprimente a la larga...

—Me parece un lugar maravilloso...

Y era verdad que, mientras lo decía, se lo estaba pareciendo. Un refugio.

—Esto es un refugio —dijo Quirós.

—¿Esta casa? —Ortega sonreía—. Sí que lo es, un poco. O un mucho, no lo sé. A veces es desesperante. Todos estos libros, los leídos y los no leídos, se vuelven una acusación.

—¿Has vivido siempre aquí? —preguntó Quirós. Y, al preguntarlo, pensó que era ya la segunda vez que preguntaba algo así. Le chocaba que no mantuvieran una conversación más ágil. Más parecida a las conversaciones anteriores en la Gran Vía. Una vez más, Quirós pensó que a ambos les cohibía la forzada intimidad de aquella habitación, la imposibilidad de distraerse, mirando a la gente que iba y venía.

—Sí. Siempre he vivido aquí con mis padres. Fallecieron casi al mismo tiempo. He pensado varias veces en cambiar de casa, pero resultaría demasiado caro a estas alturas encontrar un sitio parecido. Y, además, para ir a un sitio parecido, no merece la pena cambiarse.

Ortega era consciente de que estaba alargando las frases innecesariamente. Frases triviales que se le alargaban sin querer, entorpeciéndole y complaciéndole a la vez. Como si deseara trazar un nutrido cerco de frases ordinarias e insignificantes que le permitieran tranquilizarse porque se sentía intranquilo, y crear un espacio verbal ordinario, una especie de familiaridad automática por donde pudieran transcurrir sin sobresaltos estas primeras horas de comunicación. Y Ortega se daba cuenta, a la vez, de que semejante intención era, en realidad, contradictoria, porque lo característico de aquellas primeras horas de comunicación tenía que ser la sorpresa, el encantamiento. Pero Ortega temía las sorpresas. Toda su vida había temido las sorpresas. Desde el sobresalto de las palabras al sobresalto aún más profundo de la comunicación. Se dio cuenta de que llevaba callado ya mucho rato. Y, por romper el silencio, dijo:

—¿En qué estás pensando? Estás muy callado...

—Perdona. También tú estás callado. Es agradable poder estar en silencio en un sitio. Con otra persona sin necesidad de hablar continuamente.

—Tienes razón en eso. Por cierto, ¿quieres tomar alguna cosa? ¿Alguna bebida?

—Bueno, una coca-cola. ¿Tienes coca-cola?

—Sí claro. Un momento.

Ortega se fue a la cocina. Se volvió antes de irse desde la puerta para preguntar a Quirós:

—¿Te gusta con un poco de limón?

—Me da lo mismo. Con hielo, si tienes.

—Sí, claro, con hielo, desde luego...

En la cocina, antes de abrir el frigorífico, encendió un cigarrillo. ¡Qué grata resultaba a los ojos aquella imagen vislumbrada desde la puerta de Quirós sentado en el sillón, de perfil, fumando tan tranquilo en su cuarto de estar siempre vacío! ¡Cuántas veces había conjurado una imagen así desde el marco de aquella misma puerta! Se tranquilizó (porque notó que le temblaban un poco las manos) preparando cuidadosamente una bandeja redonda con dos vasos de cristal con hielo, una raja de limón en uno de ellos y dos botellas de coca-cola. Estuvo tentado de preguntar a Quirós si deseaba comer algo (entre una cosa y otra se habían hecho las ocho de la noche), pero se abstuvo de hacerlo porque tenía la boca seca y le hubiera resultado difícil hacer con naturalidad, en voz alta, la pregunta más ordinaria. Llevó la bandeja al cuarto de estar y sirvió las coca-colas. Quirós se había asomado a la terraza. Y entró al oír que Ortega volvía a la habitación.

—Se ve muy bien el atardecer desde aquí —dijo Quirós.

—El atardecer lo llena todo, los inviernos. Esta es una casa para el invierno.

Ortega se sintió de pronto ganado por un irreal renacimiento de la esperanza. ¡Hacía tantos años desde la última vez que alguien se sentaba así en su casa! ¡Y cuánto habían cambiado sus puntos de vista a este respecto! Quince años atrás pensaba Ortega que haber tenido un compañero le hubiera paralizado. La cotidianeidad letárgica. Llegó a ser letárgica, de hecho, la única vez que, por unos pocos meses, lo tuvo. Y, sin embargo, el no haberlo, después de aquella única ocasión, querido tener (en la medida en que ese no querer se parecía a un no poder o a un no atreverse a tenerlo, o a un no decidirse nunca a buscarlo) había dejado pendiente, como una deuda del ya remoto pasado, el deseo de llegar a tenerlo todavía bajo cualquier forma o, a ser posible, bajo la forma ideal de un compañero más joven a quien pudiera Ortega comunicar parte al menos de su sabiduría, de su pura experiencia del fracaso. Es natural que Ortega no pudiera distinguir, en las presentes circunstancias, si Quirós se adecuaba o no a la arbitraria imagen ideal que su conciencia había forjado a solas. Quirós era bien parecido: daba, físicamente, el parecido. Eso era, en definitiva, lo único que Quirós y el compañero contradictorio e ideal que Ortega había imaginado tenían en común. Un fenómeno éste, por lo demás, muy corriente. Un engaño que, de puro cotidiano y trivial, no debiera engañar ya a nadie.

—¡Me gustaría quedarme aquí, vivir aquí! —murmuró Quirós de pronto.

Ortega se echó a reír, como si aquella coincidencia entre sus propios pensamientos y la realidad le regocijara y no le asustara. El mismo no lo sabía bien.

—Puedes venir aquí cuando quieras...

—Muchas gracias.

—Me das las gracias como si no tomaras en serio lo que digo.

—¿Cómo que no? Lo tomo muy en serio. Tan en serio —y Quirós se echó a reír— que vas a lamentar haberlo dicho.

—¿Por qué dices eso? —preguntó Ortega.

—¿Que por qué? Pues por muchas razones. La primera, porque si *tú* lo dices en serio, yo voy a tomarlo en serio. Y acabarás cansándote. Todo el mundo se acaba cansando de mí...

Ortega sintió una absurda ternura al oír esto. Una ternura que se mezclaba con incredulidad y desconfianza. (La frase resultaba tan inverosímil en labios de aquel atractivo muchacho, que Ortega sintió inmediatamente desconfianza, como si alguien —su propio demonio— le estuviera tomando el pelo. Como si la frase no procediera de una conciencia distinta de la suya sino, en un sueño, de sí mismo objetivado en animales burlones.) Y se avergonzó casi instantáneamente más de su desconfianza que de su ternura. Por eso añadió:

—Ya será menos. Eso lo dices por decir. No creo que nadie se haya cansado de ti todavía...

Quirós miró a su compañero velozmente. Un abrir y cerrar de ojos. Lo suficiente para frenar en seco la confesión (por otra parte insulsa) de sus propios temores. ¿Merecía la pena? Era cierto que Cristina y su madre, cada cual a su modo, le habían confundido ayer tarde y hoy por la mañana. Pero, ¿no se encontraba ahora inmerso en una situación infinitamente ventajosa? ¿Por qué había de contar nada a Ortega? ¿Había, además, algo realmente definitivo que contar? Nada definitivo excepto sus propios fantasmas. ¿Y no tenía Ortega ya bastante con los suyos? Quirós estaba siendo consciente, claramente consciente ahora, del poder que, sin proponérselo, había adquirido. Y ese poder dependía de la apariencia, sobre todo. Ortega, pensó Quirós, vivía, en gran medida, por lo menos en lo que hacía referencia a Quirós, de la apariencia. ¿Por qué desilusionarle tan pronto?

—Bueno, supongo que sí. Hablaba por hablar...

—Eso creo yo. Sólo que movido, sin duda, por una cierta vanidad... —dijo Ortega sonriendo—. Es bastante natural, por otra parte. Tú mismo me dijiste el primer día que vivías de las mujeres. Y me hizo gracia, lo confieso. Me hizo mucha gracia. En el fondo eres un buen chico...

—Pero muy en el fondo, no te fíes demasiado —dijo Quirós. Y lo dijo sinceramente. Deseando sinceramente que Ortega tomara en serio esta advertencia. Su obligación era advertirle, más no se podía hacer. Más no se podía pedir. Pero, a la vez, bien claramente veía Quirós que Ortega no podía en sus presentes circunstancias entender que aquella advertencia realmente lo fuera. Y también, todo hay que decirlo, para el propio Quirós aquella advertencia, aunque sincera, era en cierto modo retórica, puesto que no recordaba Quirós haber hecho nunca daño a nadie. Sólo porque sabía que *podía* hacerlo había hecho esa advertencia. Su responsabilidad no llegaba ya más lejos.

—Esta es tu casa si tú quieres. Piensa que estás como en tu casa. Ven cuando quieras. Yo estoy siempre en casa por las tardes. Paso aquí sábados y domingos. No salgo nunca de vacaciones, y, ¿quién sabe?, a lo mejor contigo, viéndote por aquí, me vuelve a venir la inspiración, la gana de escribir, la voluntad de auto-hipnotizarme que me hace falta para escribir relatos...

—¡Vamos, que quieres que sea yo tu musa, mayonesa Musa!

—Bueno, no es así del todo. Me animará tener alguien con quien hablar, te lo aseguro.

—Yo, por mí, encantado. Pero, a lo mejor acabas liándote... Yo, o sea, no he tenido una relación así, no sé cómo explicarme, con ningún hombre...

—¿No has tenido amistad con ningún hombre?

—No tengo amigos íntimos, o sea, hombres. Eres tú el primero. Bueno, o lo puedes ser, si tú quieres...

—Tenemos que volver a hablar de todo esto. ¿Eh? ¿Qué te parece? Es un tema importante...

—No sé —mintió Quirós—. Es la primera vez que me lo planteo, francamente...

—Alguna vez tiene que ser la primera... —dijo Ortega.

Eran ya las diez de la noche. Quirós aseguró que volvería al día siguiente. Ortega tardó mucho en dormirse. Y se hacía todas las preguntas inútiles del caso, puesto que la aguja ya enhebrada recorría veloz entretejiendo el amargo estambre de la vida.

—¡Pues ya ves, una venada que me dio! —declaró Cristina.

—Ya veo, ya veo...

—No, no lo ves, no lo ves... Te ha sentado como un tiro.

—Me ha sorprendido un poco, eso es todo.

—Pues eso es lo que no comprendo, ya ves tú: que te sorprenda *un poco*. Tendría que sorprenderte muchísimo. Me extrañaría menos muchísimo que un poco...

—¿No acabas de decir que te molesta que me haya sentado como un tiro?

—¡Ah! Pero, ¿es que te ha sentado como un tiro?

—¿No acabas de decirlo tú misma?

—¡Yo qué voy a decir!

—¿Cómo que no? Tú misma acabas de decir que no entiendes por qué me ha sentado como un tiro. Y yo he dicho... ¡Ya no sé ni lo que he dicho!

—¿Ves cómo estás molesto?

—¡Vamos a ver si nos aclaramos! He dicho que estoy un poco sorprendido, y lo estoy. No he dicho que me moleste, ni que no esté de acuerdo, ni que nada...

—Pero es que un poco, César, un poco, estar, como tú dices, un *poco* sorprendido es una cabronada, ya ves tú.

—Mira, déjalo, déjalo...

—No, no. Es que no lo quiero dejar. ¿Por qué lo voy a dejar? ¿A ver? Llevamos ya no sé cuántos años juntos...

—Llevamos ya cien años juntos... —Cristina estaba dándose cuidadosamente el esmalte de las uñas. Quirós admiró sus largas manos con sus uñas sanas. Con su bien dibujada media luna. Siempre le habían gustado aquellas manos. Y le gustaban ahora a pesar de hallarse malhumorado y más irritado de lo que confesaba...

—¡Los que sean! Lo cierto es que, en todos los años que llevamos juntos, nunca se te había ocurrido dar un *party*...

—Se dice *una party*...

—Una mierda...

—¡Pero César, qué lengua, qué lenguaje...! *Party* significa en español una fiesta... Y una fiesta, creo yo, es femenino, si el señor no tiene inconveniente.

—Lo que no entiendo, de verdad, Cristina, es por qué te pones así...

—Yo no me pongo de ninguna manera...

—Vale, vale, tú no te pones de ninguna manera, vale...

—Es que es la verdad... Sencillamente te digo: pues mira, César, me apetecería muchísimo una *party* aquí en casa, una *party* de medioverano, en plan de sangría, de tortillas, de, pues, unas cosas que traemos de Barreiros, ahí en Claudio Coello, que luego aquí las calentamos, y bueno, pues cumplo un poco...

—Pero si me parece muy bien. ¡Por mí, cumple todo lo que te dé la gana!

—Ya te has vuelto a poner violento...

—Mira, Cristina, a mí me parece perfecto que quieras dar un *party*, una *party*, o ciento veinticinco mil... Lo que me extraña un poco, sí, un poco, y no hay por qué sacar las cosas de quicio, es que de repente te apetezca hacer algo que nunca habíamos hecho, porque nunca lo hemos hecho, completamente diferente, en fin, pues que me choca. Pero por mí que no quede, ¿eh?, que conste, ¡que por mí que no quede!

—No. Si por ti no va a quedar, ¡eso ya te lo digo desde ahora! —Cristina había terminado de pintarse las uñas y sacudía un poco las manos debajo de la lamparita rosa de su tocador, con un deliberado movimiento, innecesario, de aleteo. Quirós pensó que no había ido a ver a Ortega como le había prometido, y que lo lamentaba ahora. Con Ortega, por lo menos, no hubiera sentido esta compulsión nerviosa de contradecir y discutir que sentía últimamente hablando con Cristina. Cristina, que hasta ahora le había dado la espalda, se volvió en redondo y encendió un LM—. Lo primero, desde que te conozco, no veo a nadie...

—Pero, ¿no has dicho tú siempre que te gustaba más así?

—Lo primero, no veo a nadie... ¡Yo nunca he dicho semejante cosa! No me vengas ahora diciendo lo que he dicho y lo que no he dicho, porque por ahí no paso... Lo primero, no veo a nadie. O estoy trabajando, y yo sé lo que es trabajar, yo sé lo que es trabajar...

—Tú sabes lo que es trabajar...

—Pues sí, lo sé, sé lo que es trabajar. Y no veo a nadie. Y esto es claustrofóbico. Lo nuestro es claustrofóbico, aquí los dos metidos, mano a mano, al principio, que me digas, bueno...

Al principio ya se sabe que no hace falta más que lo que hace falta. Y eso sí, yo soy la primera en reconocerlo. Tú lo que tienes lo tienes muy bien puesto, y me quedé satisfechísima, muchísimas gracias. Ahora, la verdad, César, todo no puede consistir en eso... Estoy ya como aburrida...

—¿Y qué quieres que haga yo, que te cuente chistes?

—¡Ah, mírale qué bonito! Ahora se nos pone farruco.

—No te entiendo, de verdad, Cristina.

—¡Es que no hay nada que entender! No hay nada que entender en absoluto. Son, mira, habas contadas...

—Que estás de mí hasta las narices...

—Pues no señor, ves, no señor. ¿Ves como no te enteras? De lo que estoy hasta las narices, y además te lo digo francamente, es del secreto, los dos solos, los dos tórtolos, los dos aquí metidos, dale que te pego... Tengo gana de un poco de emoción, un poco de algo, un que se nos vea. Así es que nadie te conoce...

—Yo creía que eso te gustaba...

—Sí, me gustaba, ¿y qué? Me gustaba, ¿y qué?

—Pues no sé...

—Pues deberías saberlo, ya ves tú. Deberías darte cuenta que a mi edad, una mujer tiene ya una posición difícil...

—¡No me salgas ahora con que estás ya menopáusica...! Pero hombre, si me llevas sólo cinco años. Si es que eso no es ni diferencia en nada.

—Te llevo más años, bastantes más...

—Pues mejor. Ahora estás más estupenda que nunca.

—Eso ya lo sé. No hace falta que me lo digas. Eso me lo dice todo el mundo...

—Pues me alegro mucho...

—¿Ah, sí, te alegras? Pues a veces parece que lo sientes...

Quirós se levantó y dio unos cuantos pasos por la habitación, al azar, tropezó con la cama. Sin camisa, el torso naturalmente bronceado se oscurecía aún más entre los suaves rosas del dormitorio de Cristina. Realmente tenía un gran aspecto Quirós aquella tarde. Y él lo sabía. Llegó a pensar en un momento dado, como un crío, con un pensar lechoso, autocompasivo, del cual se avergonzaba y del cual era capaz de distanciarse sin llegar, por ello, a ser capaz de suprimirlo, o deleitarle menos: «¡Qué no daría el pobre Ortega por verme así! ¡Y esta imbécil lleva ya dos horas dándome el coñazo!» Cristina se había vuelto en redondo una vez más hacia el espejo de su tocador. Ahora, con una pincita, se arreglaba una ceja. Quirós se acercó al tocador y la mostró el reloj:

—Acabas, *darling*, de decir la chorrada de las siete treinta y cinco...

—¡Ay, por Dios, qué día tienes! Todo te sienta mal. Lo que he querido decir es que lo normal, llevando lo que llevamos ya de *tête-a-tête*, es que saquemos un poquito la cabeza, o sea, la *tête*, que se nos vea un poco juntos, que no es ningún escándalo, porque es que ni que fuésemos el ex-Boyer y la ex-Griñón...

—Demasiado fácil, Cristina. Un chistecito tonto de *Cambio-16*...

—Es el humor político, el humor político, chato... He convidado sólo a unos amigos, como veinte personas. Y viene Alvaro Pombo...

—¿Quién es Alvaro Pombo?

—Ah, pues el primo del hermano de una amiga mía, una Pomba graciosísima, tataranieta del marqués de Casa-Pombo, que conserva toda la nariz de la familia...

—No sabía que tuvieras esas amistades...

—¡Ay, por Dios, qué tonto eres! ¡Pero si es un título de pega...!

—¿Y quién más viene?

—Vienen veinte, como veinte...

—De todas maneras, reconoce, Cristina, que tiene algo de raro este repentino afán de alterne que te entra.

—Ah, pero es que tú no sabes una cosa, que antes de conocerte yo alternaba mucho. Y me gusta, me gusta. O sea, lo que pasa es que contigo me encerré, y este plan, en fin, *je ne regrette rien*, pero la verdad que esta *party* me apetece de locura. Y así ya los conoces, pues, a todos. ¿Qué te vas a poner?

—¿Que qué me voy a poner? Yo qué coño sé, el frac, mira tú... Una chaqueta y una corbata, como todo el mundo...

—¡Ay, qué antiguo eres, César! Lo más tierno de ti son estas cosas. Y cuidao que de tierno tú no tienes nada... ¡Corbata y chaqueta, Dios te libre! Es un ven-como-estés, un ven-como-estés la *party* mía... Ven de vaqueros, que te sientan estupendos, estrechitos, la cosa *wrangler* que ahora no se lleva pero que a ti te va al pelo...

—¡Ah, o sea que yo voy de guapo!

—Eso lo eres, así que vas de lo que eres... Es un ven-como-estés...

—Yo, según tú, estoy muy bien...

—Tú estás cachas, claro...

—¡Qué frase tan ridícula!

—Yo no veo nada ridículo. Es una cosa que se dice...

Cristina parecía haberse quedado satisfecha. Ahora, inclinada sobre su larga pierna extendida, se daba masaje con una loción perfumada. Llevaba la mano desde el tobillo hasta el muslo con un movimiento rítmico. Bajaba hasta el tobillo, seguía el movimiento de la pierna con la mano, por detrás de la pierna, y otra vez vuelta a empezar. Contemplarlo era enervante. Quirós pensó que, en otra ocasión, aquel movimiento le hubiera parecido seductor. Cristina tenía unas piernas muy largas, muy bonitas, como de jugadora de tenis. En esta ocasión, sin embargo, Quirós no lograba dominar su desazón. El sentimiento de inferioridad. Y lo que le resultaba más irritante de todo era el estar siendo agudamente consciente al mismo tiempo (como si hubiera realmente, no sólo metafóricamente, capas o zonas de profundidad en la conciencia de sí mismo; y como si él hubiera de permanecer flotando en las capas más superficiales e inmediatas sin lograr sumergirse, bucear, enérgicamente hacia las más profundas donde, sin duda, había de hallarse la respuesta a su desazón presente) de que no lograba expresar de ningún modo, ni siquiera remotamente, nada coherente con aquel huidizo y profundo sentimiento. Por eso, como tanteando, como en busca de un correlato objetivo, dijo:

—Este afán de lucirme ahora que te ha entrado tiene que ser puro aburrimiento. Es como en los pueblos, cuando sacaban a sus mujeres los maridos a misa de doce, con el mejor traje que tenían, blancas de estar en casa, todo el verano sin que las diera el sol. Y después de la misa las volvían a llevar a casa, y se iban de tertulia al bar. Nosotros somos como un matrimonio ya. Hace ya mucho que la novedad ha terminado, y estás ya cansada de mí y yo de ti. Tiene que ser eso...

Cristina interrumpió su masaje y contempló a Quirós con una expresión burlona.

—Con esto del paro, te estás volviendo delicado. El ocio te está ablandando. Nunca creí, francamente, que fueras a tomar así las cosas. Creí que te divertiría ver otra gente. Comparado casi con cualquiera, sales tú favorecido.

—Hombre, gracias —murmuró Quirós.

Hubiera dado cualquier cosa por marcharse en aquel momento. Pero no tenía ningún pretexto. Más aún: el haber venido a ver a Cristina por su propia iniciativa esta tarde le obligaba a permanecer allí hasta el final, irse hubiera resultado ridículo. Y pensó que en el dichoso *party* sucedería lo mismo. Que se vería obligado a quedarse hasta el final y a hacer los honores, le apeteciera o no. Volvió a pensar en Ortega. Por un instante consideró la posibilidad de contarle a Cristina aquel encuentro. ¿Para qué, sin embargo? Su relación con Ortega apenas había empezado. Apenas había nada que contar. Y Cristina, por otra parte, no estaba, evidentemente, en un estado de ánimo receptivo. Por fin Quirós, no pudiendo aguantar el silencio que se extendía entre ellos (Cristina había empezado ahora a dar masaje a su otra pierna), dijo:

—Igual tenías un plan para esta tarde y has tenido que cambiarlo por mí, como fui yo quien llamé...

—Nada de eso, nada de eso. Estoy encantada de que estés aquí. Me haces compañía...

—Bueno, si es así...

«No tenemos nada que decirnos —pensó Quirós—. Es curioso que esta situación surja precisamente ahora, cuando acabo yo de encontrarme con una nueva aventura. ¿Tendrá Cristina una nueva aventura también?» Esta idea le distrajo durante un rato...

—¿Por qué lo preguntas? —preguntó Cristina—. Lo de si tengo plan... ¿Qué plan quieres que tenga? Sabes de sobra que me tengo que acostar a las diez para estar mañana pronto en la oficina...

—Yo qué sé... Lo decía por decir...

—¿Te hace falta dinero?

—No te llamé para eso.

—No he dicho que me llamaras para eso, te lo pregunto nada más...

—No, no me hace falta, gracias.

—No suenas muy convencido... Anda, ten. —Cristina tendió a Quirós un billete de cinco mil pesetas muy nuevo.

—Te digo que no me hace falta...

—Pero no te vendrá mal...

—No, claro. No me viene mal. De sobra lo sabes...

—Por eso, porque lo sé de sobra, te lo doy...

—Es desagradable...

—El dinero nunca es desagradable.

—El *modo*... es desagradable.

—¿Cómo el modo?

—Tus modos... En fin, gracias.

—De nada.

—¿Y cuándo es la *party*?

—Un día de éstos. Ya te lo diré con seguridad. Mañana o pasado...

—Por mí, no te preocupes, cualquier día me viene bien...

—Eso ya lo sé...

—Pues eso...

—Es que es mejor que sea un fin de semana, un sábado por

71

la tarde. La gente está mucho más tranquila los sábados sabiendo que pueden dormir la mañana.

—Sí, claro...

—Lo que sí convendría es que llegaras tú temprano...

—Por supuesto.

—Sí, porque así lo vamos ya preparando todo... Es más agradable si estás tú...

—Y, además, siempre puedo salir a los recados...

—Además eso...

—¿Y si no vengo?

—Pero, ¿cómo no vas a venir? ¡Qué cosas dices!

—Podría tener otros compromisos...

—Podrías... pero no los tienes.

—No, desde luego.

—Pues eso.

A Quirós se le ocurrió de pronto que toda su desazón procedía de lo mismo: de sentirse obligado a prestar un servicio a cambio de aquellos infernales billetes de cinco mil pesetas que Cristina le daba, y que se le habían vuelto ya como un hábito. La verdad es que contaba ya con ellos. Era un desahogo. ¡Y había sido tan natural al principio! Quirós recordó ahora cómo, la primera vez que salieron juntos a cenar, Cristina le hizo aceptar diez mil pesetas. Pero luego sólo fueron a tomar un sandwich y un café a una cafetería, y luego al cine. Cuando Quirós, al despedirse de ella en el portal, después de besarse durante un largo rato, le quiso devolver el cambio, casi ocho mil pesetas, incluido el taxi de regreso, Cristina dijo: «Guárdalo, mejor, para otro día. Así no tenemos que andar a vueltas siempre con los cambios.» Pero cuando llegó el próximo día, Quirós se había gastado aquellas casi ocho mil pesetas. La verdad es que parecían quemarle en el bolsillo. Comió y cenó dos días seguidos en una cafetería, un plato combinado. Se metió en el cine dos días seguidos, se compró un mechero... Tomó un taxi o dos. El caso es que había gastado prácticamente todo cuando se encontraron de nuevo. Cristina, sin preguntarle nada, y sin comentarios, le dio otras diez mil pesetas, dos billetes nuevos también, crujientes, bienolientes. «Parece que los fabricas tú misma», comentó Quirós en aquella ocasión. «Casi sí, no creas. Gano una pasta larga.» A Quirós le encantó en aquel momento el modo de decirlo, la naturalidad con que Cristina se hacía cargo de su situación y daba por descontado que era ella quien llevaba el peso económico de sus relaciones. Le extrañó, sin embargo, que no hiciera ninguna observación referente al cambio de la víspera. Y lo dijo él mismo: «Te advierto que no me queda nada del otro día.» «Ya lo sé, por eso te lo doy», había contestado Cristina. Quirós no salía de su asombro. Tenía veintiún años entonces. «¿No te parece feo que te acepte así tanto dinero? ¿No te parece feo que en dos días me haya gastado yo solito casi ocho mil pesetas?» «No seas niño. ¿No te das cuenta tú que a mí me divierte mantenerte? Tú eres un lujo que me puedo permitir, no te preocupes.» «Te lo podrías permitir igual —recordaba Quirós haber contestado— y además gratis. Tíos como yo hay a cientos.» «Seguro, pero a mí me gustas tú. Y me gusta mantenerte. Tengo vocación de millonaria viuda. Me encanta pensar, mientras estoy en la oficina, que tengo al *gigoló* esperando en casa. Me hace sentirme rica. Dueña de la situación. Y vuelve la relación más erótica, pagándola.» Aquello le había parecido delicioso y curioso a Quirós tres años atrás. ¿Por qué ahora de pronto se le volvía desazonante? Su cariño por Cristina no había aumentado (aunque le seguía agradando sexualmente), pero, en cambio, había aumentado su dependencia de ella. Y era esto, precisamente, lo que Cristina parecía disfrutar sobre todo. Quizá era esto lo que desde un principio la había hecho sentirse dueña de la situación: saber que llegaría un día en que Quirós, acostumbrado a las propinas, no podría vivir sin ella. Y, de hecho, el acto concreto de *pagarle* se había convertido en un ritual, que, medio en broma, pero con la precisión de un mecanismo de relojería, se interponía siempre entre ellos, entrelazándoles, distanciándoles, hundiéndoles...

—Anda, bonito, sácame a dar una vuelta, ya que estoy vestida. Me gusta entrar así, bien marcadas las diferencias de edad, contigo en los sitios. Y, sobre todo, ahora en verano, que estás tú con el guapo subido. Y yo, con tanta oficina, sin casi vacaciones, parezco más pálida, más rica y más vieja... Lo nuestro es, desde luego, incomprensible... ¿No me digas que una relación así no te puede inspirar un bonito argumento para una novela a ti que tanto te gusta la literatura...?

Y Quirós, efectivamente, lo pensaba. Pero con desazón, esta calurosa tarde de finales de julio paseando Serrano abajo, del brazo de Cristina. Pensó que llamaría a Ortega desde un teléfono público esta misma noche antes de ir a su casa.

Parecían muchos más de veinte aunque no hubiera, en realidad, más de doce o quince personas. No se cabía en la salita del cuarto de estar de Cristina, a pesar de haber abierto de par en par las puertas de una terraza larga y estrecha que daba a la calle de Ayala. Eran ya las diez y media de la noche. Quirós llevaba allí desde las siete de la tarde. Tal y como había supuesto, había tenido que bajar a recados varias veces. Se diría que Cristina, de ordinario una persona muy bien organizada, se había olvidado de todo aquella tarde de su *party*. Era imposible haberlo organizado peor, que faltaran tantos detalles a última hora. Y cuando comenzaron a llegar los invitados, resultó que el portero automático estaba roto, y Quirós tuvo que bajar seis veces, por lo menos, a abrirles. Cuando ya parecía que todo el mundo había llegado, todavía aún llegaba alguien y Quirós tenía que volver a bajar. Parecía calculado todo adrede para irritarle aquella tarde. La mayoría de las chicas parecían conocerle de nombre, por su apellido. «¡Ah, seguro que tú eres Quirós!», le decían todas. Y todas le saludaban efusivamente. Demasiado efusivamente, a juzgar por lo calladas que se quedaban inmediatamente después de sus efusivos saludos. Quirós tenía la sensación de estar siendo objeto de una especie de broma maliciosa. Que cabía, sin embargo, atribuir sólo a la excesiva cantidad de alcohol ingerido, y que parecía haber multiplicado sus efectos intranquilizadores con tantas subidas y bajadas. La merienda le había parecido ramplona. Los asistentes eran todos de la edad de Cristina. Tenían un aspecto de prosperidad. Todos ellos trabajaban en oficinas o tenían negocios propios, como la chica de pequeña estatura que ahora estaba a su lado con un vaso de vino blanco en la mano, dándole conversación. La fiesta no acababa de despegar. Había una cierta falta de cohesión entre los asistentes, que, irremisiblemente, tendían a formar grupos de dos o tres personas y que apenas se mezclaban unos con otros. Cristina, que parecía ajena a todo esto, iba radiante de un grupo a otro; pero como si ella misma no tuviese, en realidad, el menor interés en que sus invitados se comunicaran entre sí más allá de los pequeños grupos a que cada uno pertenecía. Quirós no sabía bien si es que aquellos grupos no se conocían entre sí o si, aun conociéndose, sólo era un conocimiento muy ligero. O bien, si Cristina había hecho sus invitaciones poco menos que al azar, invitándolos a todos por el orden alfabético de su cuaderno de direcciones. La reunión carecía además de un motivo definido. Una razón de ser definida, puesto que, siendo evidente que los invitados apenas se conocían entre sí, debería haber, pensaba Quirós, algún pretexto que los unificara, y no lo había. Quizá la edad era lo único común a todos ellos, el grupo generacional a que pertenecían. El tiempo parecía no moverse, haberse fijado, insulso, en un punto muerto entre las diez y las doce de la noche. Quirós hizo un esfuerzo por atender a la chica bajita de pie a su lado.

—A mí, a cada persona diferente, me gusta vestirla según es. Yo estudio a cada cual. La costura, mucho, es psicología. Porque a cada persona le va una cosa. No hay dos personas iguales. Este mismo traje que yo llevo, yo misma me lo he hecho. ¿Te gusta?

Quirós examinó por segunda vez aquel traje incoloro, entre

beige y gris paloma, lleno de extraños bolsillos inútiles, trabillas y dobleces.

—Muy bonito, sí. Para el verano. Muy práctico, con tantísimos bolsillos... —dijo por decir algo.

—¡Ay, a mí es que me encantan los bolsillos! Este es un traje camisero, más bien de mañana que de tarde. Tampoco me gusta venir así sobrevestida, ¿me entiendes? Ir muy sencilla, siendo como soy yo misma diseñadora de modelos, porque lo mío, más bien que la costura, es el diseño, no me gusta recargar la mano. ¡Ah, pero tampoco lo corriente! Yo lo que las digo, para un *prêt-à-porter*, te vas a Galerías. Yo escojo mis clientas. Veo las telas que me traen. Esto sí, esto no las digo. Lo que me gusta hacer de verdad son trajes de noche, cosas de cocktail, que se necesita una fantasía; un ver, ¿comprendes?, la tela en la persona, ver la hechura. Yo lo que las digo: con esta tela que me traes, mira, mejor te haces una blusita, que te queda monísima, que te queda estupenda, que vas bárbara, pero yo no, eso no es lo mío. Lo mío es la idea, ¿me comprendes?, dos puntadas, pim pam, la idea del traje... La costura es un arte, desde luego.

—Desde luego —dijo Quirós.

—¡Os estáis divirtiendo? —Cristina había aparecido junto a ellos de pronto sin que Quirós lo advirtiera. Llevaba unos pantalones negros, de cuero, muy ceñidos, y una blusa blanca escotada, y un cinturón ancho grande también de cuero. Estaba guapa, aunque la irritación de Quirós junto con el monótono rumor de las conversaciones en torno suyo, roto en ocasiones por las carcajadas y los gritos, como alaridos de aves, le impedían sentir ninguna excitación sexual. También el alcohol ingerido. E incluso sus vaqueros estrechos, aquellos *wrangler* blancos que Cristina le había hecho ponerse y que ciertamente le habían hecho sentirse en otras ocasiones *sex-conscious*, le hacían sentirse ahora observado de lejos y ridículo. Cristina había seguido hablando, sin que Quirós, inmerso en su acidia, hubiera prestado atención. Ahora, sin embargo, como alguien que se esfuerza por fijar su atención en la figura ambigua de una mancha de tinta negra y roja, Quirós la oyó decir:

—¿Y qué, Angelina, te gusta el mi Quirós? ¿Se está portando bien?

—¡Uy, fíjate que me mola ni se sabe! ¡Qué barbaridad, qué suerte! Como un modelo de *L'Uomo* enteramente. *¡Debería ir mucho más Adolfo!* Le iría de maravilla una tesitura de Gianni Versace. Yo le encuentro, fíjate, muy *Gianni*, con, por ejemplo, es sólo un ejemplo, un *Spolverino gommato, camicia a quadri, pantaloni di velluto stampato, completamente classico controcorrente*, ¿no le encuentras tú?

—Yo sí, claro, yo le encuentro muy cachas, mucho, ¿para qué nos vamos a engañar?

—Yo es que me encantaría coser para hombres, me encantaría, me encantaría...

—¿Y por qué no coses para hombres?... —preguntó Quirós.

—Ay, porque es un mundo muy cerrado. Es otro concepto de la moda, no sé si me entiendes, muy de piña, muy como de piña...

—Pues coser para tías tampoco debe ser moco de pavo...

—Ay qué lenguajes, por Dios, qué fuerte.

—Es que mi Quirós es mucho Quirós.

—Me encantan estos pantalones que llevas, Cristina. Cris, ay, me encantan. Tú, como tienes muy buen puente, los *pantaloni* te caen de maravilla. Y es lo que yo les digo a muchas, si es que si no hay puente, no hay pantalón que te siente, con la piernona gorda, que se ensancha, cuanto más se acercan a la pelvis, las siluetas se amorcillan. Yo se lo digo a todas, ponte una cosa suelta, un algo suelto, en vez de *pantaloni* que te hacen más gorda, que te engorda. Pero nada, hija, nada. Yo es que creo que no se miran al espejo. Con una, yo, modelo que tuviera como tú, me montaba en el dólar pero rápido... Pero, en fin, quejarme no es que pueda, o sea, no, gracias a Dios...

—Angelina —intercaló Cristina—, me permites que me lleve a mi prometido aparte, es cosa de un instante.

—Mujer, pues claro. ¿Cómo no lo voy a permitir? Es que me encanta veros juntos. Yo, como no soy nada egoísta...

Cristina se llevó a Quirós del brazo hasta la puerta de su dormitorio. Quirós encendió un pitillo. Cristina le rodeó el talle con los brazos y le besó en la boca. Quirós la apartó con un gesto casi brusco... Jamás había creído poder llegar a aborrecerla tanto, y a la vez admirarla. Porque Quirós, en abstracto, estaba sintiendo admiración por Cristina ahora mismo. Una mezcla de sentimientos contrapuestos, donde el sentido de la propia inferioridad entraba, de algún modo que Quirós no lograba precisar, a formar parte.

—Yo, como no soy nada egoísta —empezó Cristina con un tono de voz claramente sarcástico—, me gustaría saber qué tal lo estás pasando.

—¡Pues cojonudo!, ¿tú qué crees?

—Ay, chico, yo es que no creo nada, yo lo que tú me digas. Francamente creí que te encantarían mis amistades.

—Tú no has creído nunca semejante cosa, ni te importa un bledo que me gusten o que me disgusten... Lo que no entiendo es para qué coño quieres que esté aquí...

—¿De verdad no lo entiendes?

En esto, se acercaron a ellos un par de chicos que habían llegado juntos. Quirós recordaba haberles abierto la puerta, que venían en moto, en una impresionante Yamaha, y haber subido en ascensor con ellos, sin apenas pronunciar palabra ninguno de los tres. Eran de los más jóvenes de la reunión. Quirós los contempló con desconfianza, todo le inspiraba desconfianza esta noche.

—Cris, ¿no tienes alguna cinta que pongamos, para animar esto un poco? —dijo el mejor parecido de los dos.

—Eso. Que esto está como muy muerto —dijo el otro.

—Pues claro que tengo cintas a montones —exclamó Cristina—. ¿Cómo no me lo habéis dicho antes?

Se fueron los tres en dirección al «compacto» de Cristina, al otro lado de la habitación. Quirós pensó: «Ahora me largo. Estoy hasta los cojones de todo esto.» Pero, era más fácil decirlo que hacerlo. De hecho, la reunión parecía estar cobrando ahora, gracias a las cintas que Cristina había sacado de no se sabe dónde, una cierta cohesión (Quirós no recordaba haber escuchado nunca música, ni siquiera la radio, en aquella casa. Cristina disfrutaba de la posesión de los últimos modelos de electrodomésticos un tanto abstractamente, sin hacer apenas uso de ellos. El frigorífico, por ejemplo, Westinghouse que, invariablemente, estaba en marcha vacío...). Un par de parejas bailaban agarradas, muy a la antigua, al ritmo de una melodía sentimental de los Beatles... Cristina volvió a acercarse a él.

—¿Qué te pasa? ¿No me sacas a bailar?

—Ya sabes que no sé bailar, no me gusta.

—¡Qué raro estás esta noche!

—¡Estoy hasta los cojones...!

—Eso ya lo veo, pero no entiendo por qué. Al fin y al cabo, esta *party* es por ti más que nada, tu presentación en sociedad...

—Esta gente no es ninguna sociedad, no son nadie. No son siquiera amigos tuyos. Los has convidado a bulto, para demostrar no sé qué coño a no sé quién. No me tienes que demostrar nada...

—Te equivocas pero que mucho, chato. Y lo primero, que aquí hay mucha gente que promete y que, por cierto, te convendría tratar. Aquí hay más de uno y más de dos que hasta te podrían buscar colocación, así que fíjate...

—Yo no necesito ninguna colocación.

—¿No? Pues yo diría que sí, fíjate tú. Tú más que nadie. El paro te está paralizando.

—Se ve que te gusta ensañarte con gente como yo...

—Se ve que estás borracho.

—El caso es que no estoy borracho.

Pero Cristina ya no le oía. Otros dos la habían apartado para un cuchicheo, con muchas risitas. Quirós miró el reloj. Sólo eran las once de la noche. El *party* se había animado, sin embargo. Quirós pensó: «¿Qué estará haciendo Ortega esta tarde? Le prometí llamarle y no le he llamado.»

79

Ortega pasó la tarde fuera de casa con Hernández. Juan Hernández era un amigo que le había venido a Ortega de rebote. No podía decirse que fueran amigos: la relación era demasiado unilateral. Ortega se limitaba a escuchar a Hernández durante una hora y media o dos una vez al mes. Hernández parecía agradecer estas entrevistas que para Ortega resultaban invariablemente tediosas o agobiantes. Todo dependía del estado de ánimo de Hernández. Un amigo común les había puesto en contacto años atrás, y la relación se había prolongado penosamente hasta la fecha; penosamente, pero a la vez dotada de una como necesidad interna que hacía que Ortega se sintiera obligado, después de tantos años, a no inventar ninguna disculpa ya y a reunirse con Hernández cada vez que éste se lo pedía por teléfono. La última vez había sido la noche anterior, después de irse Quirós de su casa. Y Ortega había aceptado encontrarse, como de costumbre, con Hernández en Cuatro Caminos, no sólo porque Hernández había sonado más desesperado o más agobiado que de costumbre, sino también porque el propio Ortega se alegraba de tener un pretexto para no pasarse la tarde entera esperando la llamada de Quirós. Algo en los ademanes de Quirós al despedirse la tarde anterior había hecho presentir a Ortega que probablemente no le llamaría. Y le desazonaba pasarse la tarde sentado en su casa, esperando una llamada telefónica que no llegaba a sonar nunca. El hecho de sentirse ya desazonado por la perspectiva de esta espera le había asustado a Ortega casi más que la posibilidad de la espera misma. ¿Por qué había de sentirse desazonado antes de que nada ocurriera? Ortega era consciente de que su inquietud tenía un componente de debilidad consentida, de incapacidad para sobreponerse a sus emociones del momento, de abstraerse y adueñarse de sí mismo. En este sentido, el encuentro con Hernández tenía mucho de fuerza externa, capaz por tanto de facilitarle las cosas, imponiendo un orden exterior al desorden emocional en que con facilidad podía caer su vida.

Ortega, pues, sólo se detuvo en casa el tiempo suficiente para dejar la chaqueta y ponerse una camisa más fresca y ducharse. Cuando llegó a Cuatro Caminos, eran las cuatro de la tarde. Hacía un calor bochornoso. Hernández no había llegado todavía. Le esperó como solía hacer, en el exterior de la cafetería. Pensó: «Sería diferente si fuera invierno, o siquiera otoño, si los días fueran más cortos y la luz melada de octubre o de noviembre nos volviera a todos más ágiles. Pero este atardecer caluroso, que se prolongará hasta casi las diez de la noche, no nos deja escapatoria ninguna.»

Hernández llegó por fin. Llegaba siempre muy puntual. Ortega le vio llegar desde lejos, la figura pesada, cuadrada, fofa, la tez aceitunada, los labios gruesos, las gafas de concha, veinte dioptrías. Daba la impresión de moverse como un figurón de cartón piedra en una procesión de gigantes y cabezudos. La imagen le pareció barata a Ortega, fácil. Porque la impresión que daba Hernández no era la de un muñeco sino, exactamente, la de un ser humano envuelto en la tela de araña de sus obsesiones. «Como yo mismo», pensó Ortega, al tiempo que le daba la mano. Era una mano flácida, blanda, sudorosa. Ortega siempre tomaba la iniciativa en estas reuniones, elegía él mismo la mesa. Ortega pidió un café helado, Hernández un café solo; encendió un largo puro canario. Siempre chupaba estos puros mientras duraba la conversación, dándole vueltas en la boca, lentamente. La depresión crónica de Hernández era contagiosa, como un aura, un mal aliento. Los dientes sucios, amarillentos del tabaco. La sensación de suciedad, la inmovilidad. Ortega pensó con amargura en las idealizaciones de las enfermedades mentales. Una enfermedad mental no tiene nada de romántico; no es brillantez, sino tedio. Trató, como de costumbre, de hacer que Hernández hablara de sí mismo. Era muy fácil, en realidad. Hernández venía a eso. Como a un confesionario. Nunca habían hablado de otra cosa. Ortega pensó: «Su soledad es mayor que la mía. Su desesperación es mayor que la mía. Nada que yo diga o haga puede entrar o transformarse en la conciencia de este hombre que habla como un adolescente, que se masturba pensando en chicos jóvenes a quienes nunca ha tocado.» «Nunca me han gustado las mujeres. La única mujer que he conocido, con quien he tenido relaciones… me trató muy cruelmente. A mí no me gustan lo chicos afeminados. Yo no soy homosexual. ¿Cómo se llama lo que yo soy?» «¡Qué más da cómo se llame!», Ortega se oyó decir a sí mismo. «Es que sólo me gusta mirarles. La belleza de los efebos es la única belleza que entiendo. Me gusta mirarles. Pienso en ellos todo el tiempo. Pero nunca he tenido relaciones con ninguno. Yo soy impotente. Desde el principio, mi vida ha sido un fracaso. Salgo a la calle, no tengo nada que hacer, bebo demasiado. Ayer bebí seis cervezas y tomé diez optalidones. Me paso todo el día en casa, masturbándome…» «Tienes que procurar escribir. Todo esto que me estás contando a mí deberías escribirlo», le dijo Ortega, con la boca seca. Avergonzado de dar un consejo que no era capaz de seguir él mismo. «Y no debes sentir sentimiento de culpabilidad, ni por las masturbaciones, ni por lo de los chicos…» «Es que lo que me gusta es tocarles las tetillas», repitió Hernández. Hablaba en voz baja. Ortega sintió una sensación de repulsión al contemplarle y de piedad al mismo tiempo. ¿Sería hacerle un favor pagarle un chico a la semana, un par de veces por semana? ¿Sería hacerle un favor o lo contrario? Buscarle un chapero decente, un buen chico que pudiera serle presentado a Hernández como un amigo de Ortega. Y que ese chaval fuera dos veces por semana a casa de Hernández, después de la siesta, a las cinco. De cinco a seis. Vendría a salir entre seis mil o siete mil pesetas a la semana, sesiones de media hora y de tres cuartos de hora. Se le podría indicar al chaval exactamente qué tenía que hacer. Dejarse tocar las tetillas dichosas. Desnudarse. Hacerse una paja quizá. ¿Sería esto suficiente? ¿Y si empeoraba Hernández? Más de una vez había pensado, con una crudeza de la que se asombraba él mismo, que quizá esto fuera la solución. Un desahogo. Dar a Hernández material para que pudiera fantasear durante toda la semana hasta la llegada del muchacho. Se distrajo pensando en estas cosas. «Se podría incluso pagarle una historia de amor. Un chaval un poco listo que se avenga al juego. Que no se asuste, y a la vez que no trate de aprovecharse de este desgraciado. Por otro lado, esto sólo sería la mitad del problema. Este chico no puede valerse por sí mismo. ¿Qué ocurrirá cuando falte su madre? ¿Quién va a tener piedad de él? ¿Qué puedo hacer yo por él?» «Un chico desnudo es lo más bello que hay. A mí me gusta mirarles. Sólo mirarles.» Ortega no sabía qué contestar. Sabía, sí, que no se esperaba de él ninguna contestación. Su papel aquí no era el de contestar, sino sólo estar allí. «Si yo fuera verdaderamente generoso, vendría todas las tardes a charlar con Hernández durante una hora. No una vez al mes, sino todos los días. Pero no siento ningún interés por su caso. Sólo compasión en la que se entrecruza una especie de repugnancia como ante las heces fecales. Es como si me pidiera que le mirase mientras caga. Que oliera sus pedos. Que lavara sus pañuelos rígidos de mocos y esperma seca. Si amara a esta criatura como a mí mismo, me abandonaría ahora en los brazos de su desvarío, en la monotonía de sus obsesiones. Sonreiría con esa sonrisa sin humor con que sonríe. Le acariciaría. Si fuera capaz de generosidad, le lavaría la cabeza. Le tocaría. Le cogería las manos. Y todo eso sería inútil, por supuesto. Yo no puedo salvarle. Tendría que dedicarle toda mi vida. No, eso no es necesario. No, no tendría siquiera que tocarle. No tendría que buscarle un chapero, no tendría que besarle en los labios. Bastaría con que todos los días, sin dejar ni uno, viniera aquí todas las tardes a esta cafetería y charlara con él una hora. Porque no tengo nada mejor que hacer. No es que no tenga tiempo. Es que no me interesa. Si mañana leo en los periódicos que Hernández se ha suicidado, o le ha atropellado un automóvil a la una de la madrugada, cuando cruzaba borracho Bravo Murillo, a la altura de Alvarado, me quedaría tan fresco. Ahora —pensó Ortega— estoy diciendo una verdad muy pura acerca de mí mismo. Mi egoísmo es infinitamente superior al egotismo de esta pobre criatura indefensa. Y lo único que se me ocurre hacer para salvarle es venir una vez al mes a darle conversación.»

«No le estoy escuchando —pensó Ortega—. Es cierto que lo

he oído ya todo otras veces. Muchas otras veces. Pero ahora no le estoy escuchando. Me estoy limitando a dejar que la atención resbale sobre sus frases, y que reverbere para alimentar mis especulaciones autopunitivas. No adelantaría nada viéndole todos los días porque no le escucharía. Es curioso el grado de conciencia despierta que logro mantener mientras le escucho. Todo lo que dice resbala sobre mi conciencia como una pesadilla que, en definitiva, no me afecta. Y mañana le habré olvidado ya. Esta misma tarde le habré olvidado ya. Y cuando nos despidamos a la salida de la cafetería y yo regrese andando a casa, me iré olvidando de él a cada paso, hasta el mes que viene. Porque en el fondo no creo en su sufrimiento. Sólo le tomaría en serio si llegara a suicidarse.»

Y, como para darle la razón, Hernández guardó silencio un rato. Chupaba ávidamente el puro. Ortega miró su reloj. No había transcurrido ni siquiera una hora. Demasiado poco tiempo para irse decentemente.

«No volveré a casa hasta última hora. Me meteré en una cafetería a leer *Interviú* hasta las siete. Y a la siete iré al cine hasta las diez. Y me meteré en cama a las diez...»

Habían transcurrido ya dos días. Ortega se había resignado a que Quirós no le llamara. Todo parecía haber terminado de la mejor manera posible: de golpe y porrazo, en nada. La oficina volvió a ser su refugio monótono. Al tercer día, al salir de una de las cafeterías de Abascal donde solía almorzar, Ortega divisó a Quirós en la distancia paseando cerca de su portal. No había manera de evitarle. Y en cualquier caso, Ortega no lo hubiera hecho aunque hubiera podido. Era sentirse arrastrado sin más hacia lo inevitable: una sensación, en aquel momento, placentera.

—¿Qué haces aquí? —preguntó Ortega.

Quirós se volvió hacia él, sorprendido.

—Aquí me tienes —dijo Quirós.

—Ya veo.

—Si te molesto, me voy.

—No, de ninguna manera. ¿Has comido ya?

—Bueno, he tomado un bocadillo ahí en el bar. No se tiene gana de comer con este calor.

—Además de verdad. ¿Subes?

—Pues sí, si no hay inconveniente...

El portal estaba vacío como siempre. La casa estaba en completo silencio. Al abrir la puerta de la casa, Ortega tenía la sensación de haber llegado al final. A un final que, ciertamente, no podía ser el final de nada concreto. Quizá, únicamente, el final de su reserva. Al abrir la puerta de su casa y percibir el olor caliente, familiar, de los libros amontonados, Ortega tuvo la sensación de que ahora, por primera vez en quince años, abría la puerta de un lugar de reposo. Como un jardín en un lugar alto, despejado, con un gran macizo de petunias blancas en medio, un palacete neoclásico, al fondo. Tuvo la sensación de hallarse de viaje y de que, al abrir la puerta de su casa, daba paso a un desconocido, un aspecto nuevo que siempre había deseado explorar y que, como el pobre Hernández, nunca había explorado.

—Da gusto entrar aquí —dijo Quirós.

Ortega no le miraba. Quirós se encaminó al cuarto de estar y abrió la ventana de la sala.

—Es mejor que la dejes bajada. Ahora da el sol en la terraza. Se está más fresco si sólo se entreabre la persiana. Voy a darme una ducha. Siempre me doy una ducha al llegar a casa a esta hora. ¿Quieres ducharte tú también?

—No, muchas gracias. Haz lo que tengas por costumbre. No quiero interrumpirte.

—Suelo dar una cabezada a estas horas —dijo Ortega.

—Es una buena idea. Yo te espero en la sala.

Ortega se sentía tan cautivado por la facilidad con que todo transcurría, que se limitó a asentir en silencio. Se dio una larga ducha fría, según tenía por costumbre. Al salir, se tumbó en la cama de su dormitorio todavía empapado. Se quedó dormido casi instantáneamente. Cuando se despertó eran las cinco de la tarde. Se duchó de nuevo. Se secó y se vistió y entró en el cuarto de estar. Quirós seguía allí. Sin hacer nada, tendido cuan largo era en un sillón, mirando al techo.

—¿Has descansado bien? —le preguntó Quirós.

—Espléndidamente, sí. Mejor que ningún día.

Era verdad que se sentía mejor que nunca, aunque al decirlo pensó que no debía haberlo dicho. Pensó que Quirós lo interpretaría mal, aunque no sabía en qué sentido. Podía interpretarse mal una frase tan sencilla como ésa. «Es el demonio de la cautela —pensó—, de la reserva cautelosa.»

—Perdona que no te telefoneara el otro día.

—No esperaba que telefonearas —mintió Ortega—. Además, estuve toda la tarde fuera de casa.

—Creí que no trabajabas por la tarde.

—No, no fui a trabajar. Fui a visitar a un amigo, un conocido. Y fui al cine también.

—¿A qué película?

—¿Querrás creer que no me acuerdo? Fui al cine ese que hay en Fernández Villaverde. El que queda enfrente del puente de Cuatro Caminos...

—¿Vas mucho al cine?

—Con bastante frecuencia, sí. Voy por lo menos una vez a la semana. Algunas semanas dos veces. Me gusta el hecho de ir al cine. Salir al cine. Quizá por eso no me he decidido nunca a comprar una televisión. Y también por establecer una separación entre la magia de las imágenes cinematográficas y la magia de mis propias imágenes, mis propias evocaciones, al leer, por ejemplo. Si tuviera una televisión, mi tendencia natural a la pasividad aumentaría, me arrebatarían las imágenes que veo en la pantalla, cualquier imagen, los anuncios, por ejemplo. Y perdería toda iniciativa. Así, al leer, tengo una ilusión de iniciativa, una ilusión de protagonismo. Me parece que voy completando con la imaginación las escenas que en el texto se me dan sólo mediante palabras...

—Mi madre vive de la televisión. Llega incluso a reunirse con sus amigas, para seguir viendo la televisión todas juntas. A mí me distrae la televisión, lo confieso, pero entiendo lo que tú quieres decir...

—¿Y qué tal con tu novia?

—¿Por qué preguntas eso?

—¿Que por qué? Por nada. Una pregunta como otra cualquiera —a Ortega, sin embargo, le había chocado el tono de voz de Quirós y por eso añadió—: ¿Por qué me preguntas que por qué te pregunto sobre tu novia? Es lo más natural.

—Ya. Pero es que llevamos una temporada distanciados...

—¡Cuánto lo siento!

—Tampoco es para sentirlo. Y tampoco «distanciados» es quizá la palabra adecuada...

—¿Es que habéis reñido? —preguntó Ortega que sentía, efectivamente, una cierta curiosidad, mucha curiosidad de hecho por las relaciones entre Quirós y su novia.

—No, no hemos reñido.

—Entonces, ¿qué os pasa?

—Es difícil de explicar... Ni yo mismo lo sé bien...

—Si quieres ser feliz como me dices / no analices, muchacho, no analices... —dijo Ortega sonriendo.

—Bueno, no se trata de analizar o no analizar... Hay algo que marcha mal, eso es evidente.

—Confieso que siento curiosidad —dijo Ortega—. Pero no tienes por qué explicarme nada...

—Me siento atado a ella. En cierto sentido, vivo de ella. Ya te lo dije el primer día...

—Ya. Y me parecía espléndido. Me pareció que tenía gracia.

—El caso es que no la tiene, no acaba de tenerla... Es humillante, por ejemplo.

—¿Humillante, cómo? Yo me sentiría más bien halagado de que una chica guapa me mantuviera, como tú dices. ¿Es guapa tu novia?

—Es elegante, sí. Es guapa. Un poco mayor que yo, pero no mucho. Unos cinco años mayor que yo...

—Aparte de que esa situación será provisional, supongo...

—Ahí está el asunto: que no es provisional. Llevamos así desde el principio. Llevamos así tres años y pico...

—Tampoco es para exagerar. Es, me parece a mí, más o menos normal hoy en día.

—Tampoco es que me mantenga. Me da de vez en cuando dinero...

Quirós se sentía ansioso ahora de no producir una impresión errónea. No causar mal efecto. La frase que el primer día le había parecido genial: «Yo vivo de las mujeres», ahora, después de los acontecimientos de los días pasados, tenía un deje desagradable. Como si Ortega fuera a pensar que Quirós se dejaba mantener por un par de mujeres porque no era capaz de hacer nada por sí mismo. O peor aún: Quirós tenía la sensación de que Ortega estaba dotado en aquel momento de una especial clarividencia, capaz de penetrar despiadadamente en el reducto de su pereza y, por ahí, en el de sus muchas inseguridades. Porque lo que sí quedaba claro ahora era que, fuese cual fuese la naturaleza de la relación que Quirós mantenía con su madre y su novia, lo que a todo trance deseaba era sentirse admirado por Ortega. Y, sobre todo, poder seguir viniendo a aquella casa...

—¿No será de que se te hacen los dedos huéspedes? Yo, en tu caso, no me preocuparía demasiado. Ya te digo que incluso me sentiría halagado pensando que alguien tuviera suficiente interés en mí para mantenerme, o medio mantenerme. Sobre todo si se trata, como tú dices, de una chica elegante y guapa...

Ortega tuvo al decir esto la sensación (que ya había aparecido aquella misma tarde) de que, en gran medida, en su conversación con Quirós se estaba limitando realmente a echar balones fuera. Lo que realmente deseaba era mantener aquella conversación en un tono plácido y neutral. Alargarla durante otras dos horas más y, a ser posible, concertar una entrevista para el día siguiente. Porque lo que sí tenía absolutamente claro a estas alturas es que deseaba volver a ver al muchacho. La tarde transcurría plácidamente. Durante un largo rato permanecieron callados. Luego Ortega le ofreció un whisky, que Quirós aceptó. Y una idea no se le iba a Ortega de la cabeza: la idea de que, de pronto, casi por pura casualidad, estaba a punto de tener lo que durante tantos años había deseado: un compañero más joven con quien pasar las tardes dulcemente. Y en este punto, como si Quirós pudiese leer sus pensamientos, o como si de verdad se diera entre ellos dos en aquella calurosa tarde de julio una milagrosa coincidencia, dijo:

—Me gustaría leer algún libro tuyo. He preguntado por ellos en las librerías esta mañana. En la Casa del Libro...

—No creo que los encuentres ya. Están agotados. Fue flor de un día.

—Pero tú tienes algún ejemplar... ¿o no?

—Sí, claro, no faltaba más. Yo tengo ejemplares...

—Me gustaría leerlos, si no hay inconveniente...

Ortega se echó a reír, evidentemente satisfecho. Tenía la curiosa sensación de haber retrocedido quince años, o de que no hubieran pasado quince años. Hacía ya muchísimo tiempo que la mención de sus libros por otra persona no iba acompañada como ahora de un sentimiento de complacencia tan claro y tan definitivo. Normalmente, cuando alguien en la oficina, o algún antiguo colega literario con quien casualmente se encontraba en la calle aludía a este tema, Ortega se mostraba evasivo, avergonzado incluso de que todavía se recordara su figura literaria en ciertos medios. No es que se avergonzara de aquellos libros. Incluso en días de buen humor, releía con satifacción alguna de sus propias páginas. Pero sí procuraba detenerse lo menos posible en aquello que era, evidentemente, un capítulo del pasado que no admitía retorno posible. Por eso, la satisfacción con que había acogido ahora la petición de Quirós le sorprendió a él mismo.

—No creo, sinceramente, que merezca la pena volver a eso. Es agua pasada. Releer esos libros sólo tendría sentido si estuviera escribiendo ahora otros nuevos, si hubiera continuado escribiendo.

Pero tal y como están las cosas, más vale dejarlos sumidos para siempre en su letargo.

—Yo no creo que seas tú la persona más adecuada para saber si valen tus libros mucho o poco. Lo más probable es que tú mismo no tengas ni idea. Y que los motivos personales que te hicieron dejar la literatura hace años influyan demasiado definitivamente en tu apreciación presente de tus textos. ¡Déjame leer siquiera alguno!

A Ortega le pareció ridículo hacerse de rogar. Y este sentimiento tan simple, unido al deseo de complacer a su nuevo amigo, e incluso a una cierta, nueva, curiosidad por ver cómo sonarían sus viejas narraciones a oídos nuevos, le decidió del todo.

—Muy bien. Aquí los tienes —dijo Ortega. Y sacó de uno de los estantes dos novelas y una colección de relatos. Quirós los tomó en sus manos con evidente curiosidad. Eran libros amarillentos de la editorial Seix-Barral.

—Eres el primer mortal —comentó Ortega burlonamente— que se adentra a cuerpo limpio en la historia de un fracaso. Te deseo buen viaje. Buena suerte.

Quirós sonrió sin decir nada. Se les habían hecho ya las nueve de la noche. Ya comenzaba a oscurecer. Ortega tenía la sensación de que nada más podía añadirse ya aquel día a lo ocurrido. Nada que no fuera a ser, en realidad, desilusionante. Ortega quería preservar en todo su vigor la sensación de satisfacción que había sentido cuando Quirós le pidió leer sus libros. No quería arriesgar ya nada. Quería dar un largo paseo a solas. No hablar ya nada más. Esperar a ver qué traería el día siguiente. Ortega dijo:

—Tengo que bajar a la calle a comprar tabaco, antes de que me cierren.

—Ya han cerrado los estancos a esta hora —dijo Quirós.

—Ya. Pero sé de uno que todavía estará abierto...

Casi precipitadamente hizo salir a Quirós de casa. Bajaron los dos juntos en el ascensor. Se despidieron en el portal. Quedaron en verse al día siguiente.

—Mañana te daré mis primeras impresiones —dijo Quirós al despedirse.

—Confío que no te aburras mucho —bromeó Ortega.

—Se lo tienes que decir al chico —cuchicheó Charito.

—Ya se lo he adelantado un poco —doña Teresa correspondió con otro cuchicheo al tiempo que encendía un Fortuna.

—Mujer, que eso no es, que no es adelantárselo, que es decírselo, darle la noticia, ¿no ves que es inminente? —Charito estaba francamente excitada.

—¡Inminente tampoco es que sea, vamos!

—¿Cómo que no? ¡Pues ya me contarás! ¡Pero si estás entrando ya en su casa! Más inminente que eso, ya el bautizo, ya el bautizo...

—¡Por Dios, qué cosas tienes, qué exagerada eres!... Primero no había manera, no se te podía convencer, y ahora me estás casi empujando...

—Tendrás que hacerte un traje sastre...

—¿Tú crees?

—Traje sastre, traje sastre. A tu edad, traje sastre, ¡no vas a ir de blanco...! ¡Y mantilla! ¡Qué bonita la mantilla! ¡*Yo* voy a ir de mantilla! ¡Ay, qué bonita la mantilla!

—¡Ay, que no, mujer, Charo! ¡Ni de mantilla ni de nada, una cosa muy sencilla! A nuestra edad ya no se puede, ¿no comprendes?, ir de nada. Hay que ir de lo que hay que ir: de nada.

—¡Ay, pues no estoy de acuerdo, fíjate! Una ocasión así... hay que darla un realce.

—Un realce, sí, mujer, pero dentro de un orden. Y yo no voy a gastar más de lo que puedo gastar. Me voy a comprar, eso sí, unos zapatos de tafilete negros, eso sí. Y, bueno, el traje sastre. También negro, liso...

—Pero bueno —Charito volvió a los cuchicheos—, ¿el chico qué dice, eh, qué ha dicho?

—Pues, ¿qué quieres que diga? ¿Qué va a decir?...

—No, ya, eso desde luego. Pero que cómo lo ha tomado. Porque no me negarás, Teresa, que para el chico es un golpe, es un golpe.

—¿Por qué va a ser un golpe?

—Mira, es que eres insensitiva, insensitiva eres, Teresa, no te digo más... Comprenderás que es un golpe, para el chico, porque quieras que no, ésta dejará de ser su casa, y con esto ya, pues se le acaba.

—Pero, ¿por qué? Si va a seguir como siempre...

—Mira Teresa: lo que más me extraña, que no me puede extrañar más, es que no veas, a tu edad, porque ya tienes una edad, las cosas como son, te gusten o no te gusten. Yo soy tu mejor amiga. Y te digo que a tu hijo la boda le sienta como una patada en la espinilla. Y encima, además, no se lo has dicho...

—¡Se lo he dicho, te acabo de decir que se lo he dicho!

—Rape-escape, se lo has dicho rapescape... Como si fuera algo que un poco estabas pues pensando...

—Y lo estoy pensando.

—Y una porra frita... Lo tenéis ya todo decidido y requetedecidido. Y además, mira, Luis mismo me lo ha dicho...

—¿Ah, sí? ¿Y cuándo has hablado tú con Luis?

—¡Ay, qué celosona y horrorosa que eres!

—Si no es eso, si es que no sé cuándo has podido hablar tú con Luis.

—Pues por teléfono, ya ves, para un regalo que te quiero hacer, hala. Como tienes que estar al tanto de todo, pues te lo digo ya y ya está dicho: para un regalo que te quiero hacer.

—¡Ay Charito, por Dios, si no te tenías que molestar...!

—¿Por qué no me voy a tener que molestar? Además, para que veas, no me molesta lo más mínimo. Me encanta... y ya, hablando con Luis, pues él me dijo que a primeros, que prácticamente que a primeros...

—Bueno, te digo, Charo, que lo que Luis te diga me tiene sin cuidado.

—Pues pronto empiezas, hija, pronto empiezas...

—Me tiene sin cuidado porque las prisas no me van, francamente, no me van y no me van.

—¡Ay, pues yo lo encuentro tan romántico que esté él a su edad con tantas prisas...!

—¡Pues será él, porque yo no tengo la más mínima!

—¡Qué sosa eres mujer, por Dios, qué sosa! Que a su edad tenga él unas ganas tales, a mí, francamente, me emociona...

—Pero es que no es eso. Es que yo no estoy ni preparada. Es que una cosa es que sea una boda muy sencilla y otra que no sabemos aún ni el sitio...

—Le Petit París, el mejor sitio. Mira, Alicia, mi sobrina, que se casó por cierto por la tarde, fuimos a Le Petit París y lo encontré estupendo, las mayonesas exquisitas, recién hechas que hoy en día hay que mirar la mayonesa mucho... Lo que no sé es si tendréis sitio. Porque, mira, mi sobrina Alicia, que se casó en junio, tuvieron que en octubre reservarlo, fíjate tú cómo está el sitio. Lo que pasa es que los padres de él, de Antonio Alberto, son amigos del jefe de mesas. Y como eran pocos les pusieron en otro saloncito más pequeño que tienen, mucho más acogedor, frente por frente... Tiene la entrada así de mármol, bueno, éste es el salón grande el que te estoy hablando, pero el pequeño también, unas estatuas como griegas, ya te digo, aparente, aparente. Y sobre todo, mira que sabes que lo que te dan es de fiar. Porque hoy en día, yo la ensaladilla rusa no la como más que en casa, porque se han envenenado ya hasta treinta y cinco niños juntos de una primera comunión por el mal estado de las mayonesas... Y yo lo que digo, para una vez que se casa una en la vida, bueno, tú dos, yo ni siquiera una, lo menos que te pueden dar es las dos salsas, las dos frescas, no se puede pedir menos... Y en Le Petit París lo tienen todo recién hecho. ¿Cuántos vais a ser?

—Pues no sé, seremos como doce. Doce o quince.

—De eso nada...

Quirós carraspeó y entró en la sala.

—¡Vaya rollo que os traéis!

—¡Ay, que lo ha oído todo! —exclamó Charito.

—¿Qué es lo que he oído?

—¿A que lo has oído todo, a que sí, bribón? —dijo Charito.

—Pero, ¿tú qué crees, Charo, que voy a estar ahí en la puerta escuchándoos a vosotras?

La verdad es que Quirós había oído lo suficiente. No se puede decir que adrede. No se había movido, en realidad, de su cuarto. Pero Charito y doña Teresa hablaban alto. En la casa siempre se oía todo. Eso lo sabía Quirós de siempre. Y Quirós tenía, además, muchísima costumbre de oír conversaciones a sus padres. Saber qué se traían entre manos su padre y su madre o su madre y sus amigas, o la abuela y su padre, o la abuela y las criadas, o la abuela y sus amigas por teléfono había formado parte integrante de su educación juvenil. Ahora mismo, al entrar en la sala, había obedecido Quirós a un impulso humorístico más bien que a cualquier otro. A una especie de deseo de participar directamente en aquella conversación monótona e inacabable que se traían las dos amigas. Quizá también un deseo de cortar aquella conversación, no seguir escuchándola, porque le desagradaba aun sin poder precisar bien todavía en qué sentido definitivo habían de afectarle sus consecuencias...

—Bueno, yo creo que me voy a ir —anunció Charito.

—Por mí no lo hagas —dijo Quirós.

—Si no es por ti, hijo, si es que tengo yo cosas que hacer. No nos vamos a pasar aquí toda la mañana de palique. Tu madre tendrá también cosas que hacer.

—Adiós, Charo.

Quirós se quedó en la sala ojeando *Diez minutos*. Eran las doce de la mañana. Cuando su madre volvió, Quirós le preguntó sin dejar de hojear la revista:

—¿Qué os traéis entre manos?

—Pues ya lo sabes, lo de Luis y yo...

Su madre parecía tranquila. Más que tranquila, segura de sí misma. Con un punto de agresividad, pensó Quirós. La brillaban los ojos.

—¿Para cuándo es la boda? —preguntó Quirós.

—Ya para pronto. Para otoño.

—¿Y dónde vais a vivir?

—De esto te quería hablar. No lo sabemos todavía. Al principio aquí, probablemente. Pero luego quizá nos convendría vender esto e ir a casa de Luis. El piso de Luis es tres veces más grande. Mucho mejor situado.

—¿Y yo? —preguntó Quirós.

—Tú te vienes conmigo, claro está. También Luis tiene sus hijos. El piso aquel es muy grande. Podremos vivir divinamente allí los cinco.

—Ya veo.

Su madre se levantó pretextando tener que hacer todavía unas compras antes de ponerse a hacer la comida. Quirós encendió, perplejo, un pitillo sin saber qué pensar.

Haber dejado a Quirós sus tres libros revolvió a Ortega más de lo que calculaba. Compró el tabaco y bajó andando hacia la Ciudad Universitaria. Un gran atardecer de sol naranja, estrepitoso. Desde la terraza de la capilla de la Ciudad Universitaria se adivinaba el Guadarrama ardiente, embravecido por aquella gloria incruenta del bermellón, amoratado y rosa, ríos rosas de polución azucarada, configuraciones de nubes estratificadas, momentáneas, como la instantánea ilusión de plenitud y acabamiento que Ortega vivía ahora mismo. Haberle dejado a Quirós sus novelas era como haber abierto la puerta no al pasado sino a un curioso futuro retroactivo. Era como decir: el pasado sigue aún presente en el presente. Yo soy todavía el autor de esas páginas. Y este sentimiento de autoría, que nunca, hasta la fecha, se le había presentado con tanta viveza, le detuvo, embelesado, vacía la cabeza, envuelto por la puesta de sol y el olor fresco, húmedo, a hierba recién cortada y regada, en los jardines de la capilla de la Ciudad Universitaria. Recordó la emoción del primer libro publicado. Sus *Relatos lentos*, doce relatos realistas que habían causado auténtico furor en Barcelona. Recordó la carta de felicitación de Jaime Gil de Biedma. Se habían carteado durante algún tiempo. Aquellos relatos que tenían celeridad contenida en su lentitud, como instantes privilegiados, que es lo que eran, lo que habían sido. Y sentía Ortega un cierto orgullo en aquel momento, quince años después, pensando en la opinión que Quirós le daría, quizá al día siguiente, quizá mañana mismo. Y sentía la compresencia fantasmal de todo lo demás también; de todo aquello a que Ortega había renunciado, aunque «renunciar» fuese, sin duda, un término excesivo. Se contempló a sí mismo, desdoblado en aquella luminosidad polimorfa. Pero, ¿es que había renunciado a algo? Ortega había contado, por ejemplo, desde que dejó de escribir, con irse amoldando a su soltería asexuada. ¡Cuánto se reiría de él Gil de Biedma si le viera ahora! Ortega sonrió pensando que no le reconocería. No le había reconocido, por cierto, el año pasado, en Casa Anselmo. Había ido —arrastrado por la curiosidad, una curiosidad voraz que repentinamente le había invadido en el Banco, en la puta oficina, mirando la cartelera de espectáculos— a ver su versión del *Enrique II* de Marlow. Y al salir, encandilado por el espectáculo, que en cierto modo le había disgustado (le habían parecido los actores demasiado gritones, saltimbanquis, brincando y abrazándose en aquella pista circense en que se había convertido el María Guerrero), había ido a cenar a Casa Anselmo. Y ahí se encontró, mesa con mesa, a Gil de Biedma, cenando con un amigo. Estuvo a punto de levantarse y saludarle. Podía oír de qué hablaban. No era, por cierto, edificante. Se le saltaron las lágrimas. Estaba seguro de que Gil de Biedma le hubiera reconocido. ¿Por qué aquel día se le saltaron las lágrimas? Esta tarde repentinamente creía saberlo ya Ortega.

Aquel estúpido borbotón de casi lágrimas era él mismo autocompadeciéndose. Una mala elegía *pro vita sua*. Lo que no había querido, lo que había rechazado e inconscientemente siempre añorado, ahora moqueaba, lacrimeaba. Una puta mierda. «La luz del atardecer —pensó Ortega— no me favorece gran cosa. Me vuelve peor de lo que soy, y ya es difícil.» El caso era que, de algún modo, el recuerdo de aquellos grotescos lagrimones de hacía un año estaba conectado con su alegría de ahora al pensar que Quirós leería sus libros y que quizá había llegado ya a su casa y los estaba ya leyendo. «¡Si al menos me hubiera desprendido quince años atrás, al desprenderme de lo que yo consideraba mis mediocres novelas y mis mediocres pretensiones, también de la concupiscencia de los ojos!» Pero eso había seguido ahí, irónicamente vivo, con la soberbia de la vida, entre las muertas esperanzas, en espera de una resurrección estrafalaria: una segunda oportunidad: la segunda oportunidad de Gonzalo Ortega. ¿E iba a ser Quirós? ¿Y por qué no? ¿Qué más da Quirós que San Quirós? Lo malo es que no daba, en realidad, lo mismo.

Porque Quirós se fue a su casa llevándose los libros como piezas cobradas en una cacería ilícita. Tenía Quirós una sensación de ilicitud que era regocijante. Haber entrado, de repente, por la pura fuerza de sus encantos corporales (porque Quirós a estas alturas estaba persuadido de que Ortega le amaba más que nada por lo guapo) y haber roto de golpe la virginidad del fracaso y haber roto el himen de la soledad (que Quirós entendía, a su manera, porque era avispado, aunque trivial), haber, en menos de tres días, de tres veces, o cuatro, entrado a saco, sin comerlo ni beberlo, por la cara, en el corazón de Ortega, le parecía un triunfo. Y era un triunfo, un trofeo sangriento como el de los cocodrilos, que, según dicen, arrastran al fondo a sus presas. Y ahí devoran.

Y el caso es que la lentitud de los *Relatos lentos* no era fácil de tragar. Quirós se daba cuenta claramente de que se hallaba ante un autor dotado, a pesar de sus vicios, de integridad, entereza. Eran buenos relatos aquellos lentos *Relatos lentos*. Escritos desde el fondo del recuerdo, cuidadas las palabras, los acentos y las líneas melódicas. Relatos, sí, realistas, pero a la vez más fuertes y vibrantes que cualquier social-realismo momentáneo. «¿Por qué no habrá seguido —se preguntaba Quirós—, si sabe escribir de puta madre? ¿Qué le pasaría? Le entró, quizá, la soledad, como nos entra un virus, una gripe. Un padecimiento irresponsable. Si yo —Quirós pensaba— supiera escribir la mitad, sólo la mitad de bien que este hijo puta, no me vería en estas circunstancias.» Y Quirós, tumbado en su cama, en cueros tras haberse duchado aquella noche (el aire de la corriente de la ventana de su dormitorio y del pasillo iba y venía por su piel cobriza), pensaba en sus circunstancias desoladas casi con picardía, alegrándose casi de que fueran así precisamente: desoladas. Porque así podría describirlas. Sólo lo desolado, lo apartado, lo perdido, lo inútil, lo monstruoso, lo enfermo se deja describir ávidamente. El bien es invisible. ¿Y qué más desolado que su propia vida? Varias veces estuvo a punto de saltar de la cama y vestirse, e irse de paseo aquella noche a la estación de Chamartín, los jardincillos en dos pisos, en busca de quien sabe qué adoración nocturna. Hay adoradores que se quedan alrededor del Obelisco, junto al Ministerio de Marina hasta la madrugada. ¡Y sin comerse una rosca! Iba y venía, pues, Quirós del texto de Ortega a sus más íntimas imágenes, que eran suyas, de Quirós, y sólo suyas. Y se sentía confortado por este ir y venir entorpecido de malsanas imágenes que le hacían sentirse, como una buena dosis de anfetaminas, poderoso, anónimo. Y pensaba Quirós que Ortega pensaría que le estaba leyendo hasta las tantas. Y acertaba. Sólo que lo que en Ortega era risible pero, en cierto modo, todavía casi justificable, era en Quirós malicia pura y simplemente. Pero de esa malicia no era Quirós consciente todavía; sólo a medias. Al fin y al cabo Quirós era muy joven y la juventud siempre es una disculpa. La inocencia, efectiva o presunta, siempre es un consuelo.

—Pero, ¿qué te pasó? ¿Por qué lo dejaste así de pronto? —repitió Quirós.

Era la tarde del día siguiente. Quirós había terminado ya *Relatos lentos*. No había empezado las novelas aún. Llevaban ya un rato hablando. Quirós había exagerado un poco tal vez su entusiasmo por los libros de Ortega. A decir verdad, aquella prosa le resultaba un poco recargada en ocasiones, cargante. Pero sí es cierto que se había sentido impresionado. Y que no era, por consiguiente, del todo insincero al repetir una y otra vez que no comprendía por qué Ortega había dejado de escribir. Llevaban ya una hora así. Bebiendo whisky con soda. Tenían una mesita baja con una botella de Cutty Sark en medio. Y un cacharrito de cristal con hielos que se iban deshaciendo lentamente y que periódicamente ellos mismos cogían con los dedos, y un sifón recién comprado. El Cutty Sark había sido un éxito, la etiqueta amarilla con aquel velero como de cine. Quirós se sentía confortablemente infantil, como en el cine. La casa de Ortega era también como de cine. Un lugar separado de la realidad, como una cueva, como un club. Sólo para hombres. Y había muchos objetos en la casa que Quirós iba descubriendo poco a poco, porcelanillas, tabaqueras de plata, lápices estilográficos por los cajones y las estanterías, y fotos, como vidas, una cueva de Aladino que Quirós podía recorrer, recuerdos que a él no le recordaban nada pero que hacían sonreír a Ortega continuamente al hablar de ellos. El piso mismo entero era un relato lento.

—No fue así de pronto. Llevó tiempo. Su tiempo. Fue que fracasé. Luego, con los años, he ido cambiando de nombres al fracaso llamándole de todo, menos eso. Pero fue que no sabía seguir, que no tenía gana de seguir, que no tenía nada que contar...

—¡Pero si eso es imposible!

—¿Tienes tú algo que contar? —preguntó Ortega casi maliciosamente.

La conversación le estaba divirtiendo, animando. Aquella conversación estaba siendo, al fin y al cabo, la conversación que siempre había querido tener con un amigo, un compañero más joven. Había en ella casi erotismo. Y, ciertamente, una inmensa facilidad de palabra que se extendía entre los dos como un campo de hierba, un poco en cuesta hacia un paisaje de mar y de petunias blancas y jardines cruzados por solitarios paseos de tamarindos con bancos azules de azulejos y rotondas con fuentes anticuadas, musgosas. Y en verano, como ahora, al atardecer, lentamente el cielo gris y rosa del mar, el son del mar, una imborrable memoria perceptiva. Un idilio agridulce, al borde del otoño. ¿Qué hubiera habido más cobarde que no caer a plomo en esta tentación? Por eso le divirtió a Ortega que reaccionara Quirós como picado a su pregunta.

—Yo no, desde luego.

—¿Lo ves?

—No tiene nada que ver un caso con otro. Yo nunca tuve nada hecho. No tengo nada hecho. Me dio pereza empezar desde un principio. No he empezado nunca. En cambio tú... Habías empezado tan estupendamente bien, con tanta brillantez. Lo tuyo sí que no se entiende...

—Así que te han gustado los relatos, ¿eh?

—Me han gustado, sí.

—Ya te lo dije el primer día, o el segundo. Hablamos de esto ya en la calle, ¿no?

—No sé, no me acuerdo. ¡Hemos hablado ya de tantas cosas...!

—Y lo que todavía nos queda por hablar —comentó Ortega en voz baja, mientras se servía algo más de whisky.

—Eso espero —dijo Quirós en el mismo tono.

—¿Sabes una cosa? —dijo Ortega. La bebida le había ido sumiendo en un placentero estado de confianza. Un, a la vez, querer hablar, decirlo todo combinándose insensiblemente con un no importar en realidad lo que se diga, un placentero desvarío del que somos dueños y señores. Casi una *sobria ebrietas*—. Me encuentro bien contigo. A gusto con mi edad, con mis fracasos. Con el cansancio repentino que sentí entonces y que, como una sensación confortable, siento también ahora.

—¡Pero lo que no entiendo —dijo Quirós, frunciendo el ceño—, lo que de verdad no entiendo es de qué podías sentirte tú cansado a los treinta años...!

—De nada. Ahí está la cosa. No me sentía cansado. Incluso me seguía divirtiendo escribir... cuando dejé de escribir. Fue como quien, desatendiendo todo raciocinio y los consejos de toda la experiencia ajena, cede a un prejuicio muy fuerte. Algo que me asustara de antemano. Con anterioridad —precisó Ortega quisquillosamente—, si es que cabe introducir aquí nociones temporales, con anterioridad a sentirme asustado, o a topar con algo que efectivamente me asustara... No, no sentía ningún cansancio...

—Como con las mujeres, ¿no? Algo así te debió pasar con las mujeres —y Quirós, al decir esto, examinó rápidamente la expresión de Ortega; una expresión sonriente, una sonrisa, sin embargo, no mucho más acentuada que el modo sonriente general en que transcurría toda la velada. Ortega no respondió, empero, de inmediato. Así que la sugerencia de Quirós, el atrevimiento, brillaba todavía peligrosamente en la quietud de la estancia como un arma de fuego, siempre un poco inverosímilmente mortal en su precioso acabado, pavonado, de juguete.

Y pensó Quirós: «¿Qué más da? Las pistolas nunca se disparan.»

—Quizá es lo mismo, sí —respondió Ortega por fin, mirando al aire.

—Parecen un poco lo mismo las dos cosas: tu haber dejado de escribir y tu no haber, no sé, estado nunca con mujeres. Tu

101

virginidad... Perdona, me estoy metiendo en lo que no me importa...

—He querido a algunas mujeres —contestó Ortega con voz meditativa. Todavía mirando al aire, al techo, donde habían ido floreciendo, con el atardecer y la indirecta luz de la pantalla del escritorio, vacilantes manchas coloreadas—. Las he querido mucho. He tenido paciencia con ellas, también ellas conmigo. Tener paciencia con alguien es quererle mucho, me parece a mí...

—Ya. Pero no me refiero a eso... —Quirós tenía, por primera vez en su vida, la sensación de estar apretando un gatillo.

—¿A qué te refieres, pues? —preguntó Ortega blandamente.

—¿Te has acostado con alguna mujer alguna vez?

—¿A qué viene esa pregunta?

—Perdona. No contestes si no quieres. No tenía por qué haberlo preguntado. Te juro que no es vulgar curiosidad. Es que como estábamos hablando de por qué dejaste de escribir, se me pasó por la cabeza, o sea, cuando tú dijiste lo del prejuicio, lo de que te asustaba seguir antes incluso de haber empezado ya a seguir, pues se me ocurrió que a veces es así también con las mujeres en ciertas personas, siendo como son, porque son raras, son muy suyas... A veces, pues no sé, parece como si dos hombres se entendieran mejor entre sí que con mujeres, incluso hombres casados que se llevan mejor con sus amigos y les quieren, en el fondo, más que a sus mujeres, a quienes también quieren, por supuesto, y con quienes cumplen, no sé. La vida, al fin y al cabo, la mayor parte no es follar, es, yo qué sé, otras cosas, entenderse, estar a gusto juntos...... Pero que me pareció a mí, es una tontería, ya digo, que podía haber una relación, al hablar tú de prejuicios, entre lo uno y lo otro. Es una idea tonta...

—Bueno, yo no diría que tan tonta. Puede que incluso sea verdad en mi caso. A lo mejor incluso has acertado... Pero, en general, no veo yo la relación. Más de la mitad de nuestros grandes hombres de letras son maricas, y no por eso dejan de sacar un libro al año. Al contrario, más bien parece que lo que no les sale por un lado revienta por otro...

Pero Quirós, mientras Ortega hablaba, había decidido ya dejar el tema, batirse en retirada. «Más adelante, ya veremos», pensó Quirós cínicamente, al tiempo que, definitivamente ya bajo los melifluos efectos del whisky, se abandonaba al encanto soltero de aquella estancia atardecida, poblada de mutilados conatos y recuerdos y sombras.

Se quedó Ortega pensativo. En manos del atardecer emocionante. Aquella súbita agresión (pero, ¿es que era una agresión?), aquel «como con las mujeres, ¿no?», aquel insulto, porque aquello era un insulto. No, no era un insulto. Era sólo una pregunta cándida. Un planteamiento inocente, y además —razonaba Ortega—, además de inocente, perfectamente justificado. «¿Es que no hubiera yo, en su caso, preguntado lo mismo, sugerido lo mismo?» Y daba Ortega vueltas y más vueltas a la melodía de las frases y del gesto de su nuevo amigo con ternura, porque quería verlas elevadas al dulce reino de lo natural, lo lógico, lo que *cualquiera* hubiera sugerido, y se negaba, el pobre hombre, a considerar la evidencia en toda su evidencia, a ver la viga en el ojo ajeno. Ortega prefería ver la paja en el propio. De aquí que en parte por culpa de la concupiscencia de sus ojos, pero también en parte por culpa de su misma humildad, sus pobres virtudes, se hallaba Ortega incapacitado para juzgar con objetividad a Quirós. «Si es que ha acertado, el muy cabrón, el pobre crío. Si es que me ha dicho la verdad. Me ha preguntado lo único que hay que preguntarme a mí: que qué me falta. Y eso es lo que me falta: un par de huevos. Y esto no es una vulgaridad: es la verdad. Hay casos, como el mío, en que la incapacidad de ver a la mujer como lo que es, en su belleza, es un trastorno metafísico, es una impotencia ontológica, es un no poder ser, llegar a ser quien eres desde siempre. Tiene razón el pobre chico, lo que a mí me falta son cojones. Y tenía razón Antonio Machado: "Dicen que el hombre no es hombre / hasta que no oye su nombre de labios de una mujer / puede ser." Y yo, que estoy aquí, dándole vueltas a mi vida, en este piso de soltero, en un *meublé,* si lo primero que tenía que hacer era no ser, eso lo primero, arrepentirme, decir he fracasado, decir he aquí los restos de mi vida, acógeme en tu seno, Padre, acógeme en tu seno, urdimbre misericordiosa de la nada, dulces ubres maternas de la nada, corazón limpio y firme de la muerte, amada mía, compañera incesante, nunca he sido sino niño en tus brazos, ahora abrázame que no temo la muerte ni el encuentro solícito contigo en las arenas siempre nuevas de lo eterno, el vientre, el desvarío, como los animalillos, los gatos, que se duermen enroscados sobre sí, umbilicales, anticipándose al gran regreso de la muerte, no voy a tener miedo cuando vengas, no voy a patalear ni a despintarte ni a fingir que no eres tú mi madre, dulce muerte, tú sabrás en qué sitio, en ese trago, el más duro del hombre, hay que ponerme a mí, el más profundo miserable, y sé que acertarás, que haremos buenas migas, ya las pasiones serán dulces y las miserias metafóricas y ya no tendré miedo ni vergüenza, oh virgen madre de la nada, así que tengo tiempo todavía, no mucho, un poco, lo bastante para querer vivir, querer aprovechar esta oportunidad que viene ahora, segunda, estoy seguro de que este chaval no va a engañarme, no es una obra de mis manos, no es idolatría, no estoy deificando imágenes inútiles de piedra o de animales, no estoy tampoco soñando, por ejemplo, fantaseando, estoy dejándome llevar por la ternura. ¿Qué tiene eso de malo? Ya es hora que reviente o que renazca, una de dos: o todo esto es verdad, mi nuevo amor, o yo no debo de seguir viviendo...»

Y así, como embriagado, sin haber, en realidad, bebido ni una gota, seguía y seguía Ortega el curso muerto, nonato de su nuevo amor...

Quirós se fue a casa satisfecho. Pero muy excitado también. En eso, como Ortega: haber ido tan lejos. Haber, de pronto, tenido audacia suficiente para sacar el tema... El tema, el tema, el tema... ¡Quirós brincaba de alegría, Princesa abajo, yendo hacia su casa! Ortega era un marica y punto. Eso es lo que había descubierto: que el tipo aquel era un maricón y que se había prendado de repente de él, de Quirós, de Quirós. Sólo que con la pausa y el decoro que es propio de una edad como la suya (de Ortega). Las reflexiones de Quirós no podían ser, de hecho, más vulgares. A cualquier chapero, sin tanto circunloquio, se le hubiera ocurrido más o menos lo mismo a la primera... Se detuvo en plena Plaza de España, como absorto: «Estoy siendo mirado —pensó—. Y es como una droga.» Y se acordó Quirós, en esto, de un muchacho que había conocido, algo más joven que él, por casualidad, en la Castellana... La puta droga, como decía aquel chico, no se diferenciaba en nada de lo suyo: sentirse dueño del universo un par de horas o tres, y así noche tras noche, hasta la muerte. La vida no nos ofrece nada más: el ensalmo, el bebedizo, la nada... «Sólo —pensó Quirós rápidamente— que hay que tener talento suficiente para prolongar el encanto lo bastante.» ¿Por cuánto tiempo? Todo lo posible. «Lo mío es más difícil, más sutil, yo no me voy a destruir pinchándome o esnifando guarradas. Lo mío es puramente especulativo: todo sucede en un espejo. Y ese espejo es Ortega, y que no falte...»

Al llegar a su casa era ya tarde, eran las doce de la noche. Su madre había dejado un recado encima de la almohada: «Que llames a Cristina, cuando llegues.»

—¿Con quién estuviste anoche, ayer tarde? —preguntó Cristina. Quirós pensó que era una pregunta ociosa, formulada sin auténtica curiosidad. Casi por compromiso. Y le irritó esta idea, repentinamente, como un insulto o una falta de tacto.

—Con nadie. ¿Por qué? Con un tío.

—No creo que fuera con un tío —declaró Cristina de pasada—, no te da por ahí.

—¿Y tú qué sabes? Como tú me tratas cada vez peor, me voy con tíos...

—Vale, tío.

—¿Qué crees, que no? Los hombres son más suaves que vosotras. Se nos entiende todo a la primera...

—Ya. Pero no es eso. Hace falta una inclinación. No es sólo cuestión de entenderse o no entenderse...

—Una inclinación, eso, ¿cómo sabes que yo no la tengo?

—Eso se nota.

La conversación languidecía. O mejor dicho: el interés de Cristina por aquel tema, o por cualquier otro, decrecía a ojos vistas. Quirós se agitó incómodo en su asiento. Le hubiera gustado que, como al principio, Cristina se interesara por lo que contaba, que le contara ella misma cosas de la oficina, como antes. Cualquier cosa era preferible a esta mortuoria falta de interés. Llevaban ya así (Quirós no podía menos de reconocerlo) casi un año. Pero el hecho de que Quirós lo advirtiera ahora más nítidamente y con un desagrado más constante provenía en gran parte de que Quirós se había acostumbrado (muy rápidamente, por cierto) a ser objeto de una continua y siempre renovada atención al charlar con Ortega. Ortega era el culpable. No con una culpabilidad, pensó Quirós, que sea una falta, sino con la inconsciente culpabilidad de quien, sin proponérselo y sin darse cuenta, por el mero hecho de constituir un tercer término en una relación entre dos personas, se ofrece como punto de comparación. Al fin y al cabo, dejando de lado el aspecto físico de sus relaciones con Cristina (aspecto que, por cierto, había también perdido su primitiva preeminencia entre ellos), la mayor parte de la vida se la pasa uno hablando. Y era como si su espontánea capacidad de dar conversación, su labia, quedara automáticamente neutralizada por Cristina. Deseó decirla eso, preguntarla: «¿Es que no te divierte ya lo que cuento? ¿No te divierte hablar conmigo?» Pero es que preguntar eso era ya por sí solo, fuese cual fuese la respuesta de Cristina y casi más si era afirmativa que si era negativa, un gesto de fracaso. Ningún conversador auténtico duda de su capacidad de hechizar conversando. El silencio reinaba una vez más en la habitación de Cristina. Era un silencio inquieto, Quirós se sentía sudoroso, a pesar del refrescante zumbido de la refrigeración, a pesar del tintineo del hielo en su vaso de coca-cola. Y ese silencio le desesperaba, le hacía precipitarse a conclusiones autopunitivas.

—Lo que pasa es que soy un perfecto inútil —dijo Quirós en voz alta—. No valgo para nada.

—¡No digas cosas raras, chato!

Quirós volvió a sentir la irritante oleada autocompasiva de otras veces: «Si me quisiera, se daría cuenta cómo estoy. No tendría que decidirla yo ni una palabra.»

—¿De verdad no quieres saber lo que hice ayer tarde?

—¡Anda, cuéntamelo. Estás deseando contarlo...!

—Te lo he dicho ya. Estuve con un tío, un novelista fracasado, pero con pasta, que me quiere para que le acompañe al cine y sacarme a cenar.

—¡Chico, qué suerte!

—Pues ya ves...

—Tan fracasado no estará si tiene pasta...

—Bueno, no es que sea rico, millonario. Trabaja en un Banco, no sé dónde, está soltero...

—Angelina me preguntó por ti hace unos días. Se quedó encantada contigo.

—¿Y quién es Angelina? —preguntó Quirós, frunciendo el ceño.

—¿Ya no te acuerdas? Te pasaste toda la tarde hablando con ella, el otro día.

—¡Ah, ya! La cursi aquella. Me pareció una cursi.

—Pues se quedó encantada contigo —a Cristina la brillaban los ojos maliciosamente ahora.

—Dila que me olvide. No te interesa lo que cuento.

—¿Y por qué no? Claro que me interesa. A ver, cuéntame algo, verás cómo me interesa...

Quirós suspiró profundamente. Sintió deseos de romper algo, alguno de aquellos primorosos adornos de cristal del tocador de Cristina. Se lanzó a hablar desesperadamente, convencido de antemano de que daba igual lo que dijera y que Cristina sólo le escucharía a medias. Se sintió entre la espada y la pared. Como hechizado por su propia incapacidad de dominar la situación. Sentirse rechazado (y eso, al fin y al cabo, era lo que Quirós se estaba sintiendo con Cristina) es también un estado de encantamiento; una cierta clase de vértigo.

—Mi madre tiene novio. Se llama Luis. De cincuenta años más o menos. Van a casarse...

—¡Hombre, eso está bien!

—¿Que está bien? A mí me parece desastroso. Ridículo.

—¿Ridículo, por qué?

—Porque lo es. Porque andar así a su edad es ridículo.

—¿Qué edad tiene tu madre?

—¡Y yo qué sé! Cincuenta años, o más, casi sesenta...

—A mí no me parece ridículo. Al contrario, es una buena idea. Y, ¿con quién?

—Con uno de su edad, se llama Luis, uno de un Banco, viudo también, con dos hijos en edad escolar. Quiere que nos vayamos todos a vivir a su casa y vender la nuestra.

—Y eso es lo que a ti no te conviene, claro...

—No es que no me convenga, es que es ridículo.

—A veces pienso, sabes, que no he conocido a nadie que se

engañe a sí mismo tanto como tú. Nadie que crea tan a pies juntillas sus propias mentiras como tú. Creo que no he conocido a nadie así en mi vida.

—¿Eso a qué viene?

—Pues a que lo de tu madre no te molesta porque sea ridículo, o porque tú creas que es ridículo ni nada parecido. Te molesta porque se te acaba el chollo...

—Tampoco es tanto chollo.

—No, tampoco es tanto. Pero es una buena cosa, la comida y la casa y luego con lo mío, pues te arreglas, te vas arreglando poco a poco. La verdad es que no vives nada mal...

—Ni nada bien...

—Hay gente, te advierto, que te envidiaría. Mucha gente. Yo misma te envidio a veces. Tus mañanas libres, tus paseítos...

—Hace demasiado calor para pasear.

—¡Qué va! Cuando yo salgo a las siete y media de la mañana está delicioso. Yo me iría a desayunar y a dar un buen paseo, leer el periódico, hablar un poco con quien sea en el Retiro... Por cierto, ¿dónde te encontraste con el escritor este?

—Ah, ¿o sea que te lo has creído?

—¿Por qué no lo voy a creer? Hay escritores a patadas. ¿Dónde os encontrasteis?

—En la calle de Ballesta. Me llevó a su casa. Me dio por el culo y me pagó cinco mil pesetas. Cosa de tres cuartos de hora.

—Pero hombre, ¿cómo es que no me lo has contado antes? ¡Ese tipo es un salido! ¿Te insinuaste tú o se insinuó él?

—Te crees que es broma, ¿no?

—Supongo que es más o menos un invento tuyo, no es la primera vez que me has contado trolas de este estilo... Pero podría ser verdad... Tendría gracia si fuera verdad.

—¿De qué sacas que te cuento trolas yo? ¿Cuándo te he dicho yo a ti ninguna mentira?

—No son mentiras, son cosas que inventas, que añades a lo que vas contando, todo suele ser medio verdad, y tú lo arreglas, lo adornas, lo exageras. Lo haces muy bien. Es divertido.

—Pero suponte que esta vez fuera verdad, ¿qué pensarías?

—Es que no puede ser verdad, ni no verdad. Es que será, seguramente, una anécdota, algo que te pasó con uno que te habló en la calle y que tú has rehecho, fantaseado... Yo me fijo mucho en los detalles. Y todo lo confundes. Al cabo de una semana, todo lo confundes. Dices que si he dicho, que si no he dicho, que si tú has dicho esto o lo otro. Y siempre hay algo de verdad. La mitad, más o menos, es verdad, la otra mitad es cuento que le echas. Y a mí me parece bien, te advierto. Me parece estupendo... cuéntame más cosas de ese novelista...

—Vive en Ríos Rosas. Ha escrito tres novelas. En los años setenta, por ahí, era famoso...

—Espléndido. ¿Sabes una cosa? Vamos a bajar a cenar y me lo cuentas todo...

—Si quieres que bajemos a cenar y quieres que haga yo el papelón de convidarte, me tienes que dar pasta.

—¡Pero claro! Casi me olvidaba.

Cristina, sin mirarle, le dio diez mil pesetas. «Tampoco es que se pase —pensó Quirós—. Me da lo justo para tenerme bien cogido.» Bajaron a cenar. Todo lo mismo que otras veces. La misma cafetería. La misma conversación sembrada de silencios y de blancos. Cristina distrayéndose, fijándose en quien entraba y quien salía. Cristina tomando un plato combinado. Quirós pidiendo lo mismo. Y embolsándose, al final, «para el próximo día», siete mil pesetas. Quirós pensaba: «Es imposible seguir así, y así seguimos. Antes no me daba cuenta. Ahora me doy cuenta por Ortega, que sin querer me abrió los ojos.» Y sintió Quirós una oleada malsana de cariño por el culpable de su lucidez, su víctima.

—Hasta el jueves —le dijo Cristina al despedirse— no me llames. Voy a estar muy ocupada con unas cosas y otras. Ah, por cierto, ¿tendrás bastante con lo que te queda de esta noche?

—De sobra, guapa —contestó Quirós—. Si algo me falta, además, ya proveerá mi nuevo protector.

—Ah, entonces espléndido. ¡Hasta el jueves!

Se separaron riendo los dos, envuelto cada cual en su propio entramado de deseos y trampas.

Ortega acababa de decir: «No digas que sientes admiración por mí y, sobre todo, no la sientas. Y no digo esto para que tú digas lo contrario, o lo pienses, sino porque de verdad lo creo: que no vale la pena.» Y algo en Ortega, algo no muy definible quizá, una como tristeza bienhumorada, humilde, uniéndose a los espinosos recuerdos de su última velada con Cristina y a la sensación de precipitación y de agobio que, últimamente, su madre le hacía sentir en su propia casa, hizo que Quirós creyera, en aquel preciso instante, que sentía de verdad la admiración por Ortega que Ortega le decía que no debía decir que sentía y que no debía sentir. Eran las ocho de la tarde. En lo alto de aquel séptimo piso con su elaborado sistema de corrientes, corría, fresco, un aire perfumado, mitad urbano, mitad húmedo (Ortega acababa de regar las plantas de su terraza y el suelo mismo de la terraza, de losetas rojas, hexagonales). Desde su sitio, Quirós veía el cielo torneado, azul y rosa, y blanco, que viajaba acendrado y ligero hacia la nueva noche. Habían estado bebiendo los dos unos vermouths con su ginebra seca y tomando almendras y aceitunas... Quirós se sentía optimista y, sobre todo, una vez más, en paz consigo mismo. Se había vestido cuidadosamente casualmente. Una camisa bonita de rayas claras y moradas. Un pantalón oscuro, ceñido, y zapatos de cuero, de lengüeta, color corinto. Recién afeitado después de una siesta. Después de una larga ducha. Había venido en taxi, desde la calle de Hortaleza hasta Ríos Rosas, un taxi nuevo, fumando un cigarrillo, el brazo izquierdo a lo largo del asiento. Y luego, con Ortega, como siempre, la sensación de estar siendo atendido, apreciado, casi *degustado*. Porque Ortega le contemplaba a hurtadillas, no del todo de frente ni de lejos, no del todo de cerca, mirando mucho al techo y a los lados, hablando lentamente, como si la figura de Quirós se reflejara parte en el firmamento, parte en el cielo raso, parte en un aura soñolienta que les envolvía a los dos, enterneciéndoles. Los efectos del *Martini Rossi* son siempre un poco así, italianizantes, con un algo de decorado de Visconti. Quirós se sentía irónicamente viscontiano aquella tarde, los labios parecidos, las charlas agridulces. Y era regocijante pensar que todavía les quedaban tres, cuatro horas por delante, sin más preocupación que la de estar a la dulce altura dialogante de las circunstancias.

—No te conoces a ti mismo —dijo Quirós—. Jamás he conocido a nadie que se desconozca más, que se valore menos...

—Eso también son ilusiones tuyas, parte integrante de tu inconsciente búsqueda de una imagen perfecta de criatura humana que sólo existe en tu cabeza. Yo soy, en el fondo, y ni siquiera muy en el fondo, puede verse a simple vista, un tipo vanidoso... Hay vanidad en el fracaso. Y quizá se fracase más por vanidad que por orgullo. La vanidad herida es deletérea... Te sienta bien esa camisa...

—Es que a mí me sienta todo bien —dijo Quirós riendo.

—Pues es verdad.

—También tú me idealizas. Por eso me encuentro bien aquí. Donde mejor me encuentro.

—¿Aquí?

—Aquí. Como lo oyes.

—¿No estás exagerando un poquito?

—No estoy exagerando nada. De verdad.

—Mejor te encuentras con tu novia.

—¡Qué va! De eso nada. Ultimamente estamos a matar.

—¡Pero hombre!, ¿por qué?

—Pues porque con Cristina es lo contrario de aquí, justo lo contrario, ya ves...

—¡A ver, explícame eso!

—No hay nada que explicar, ya te lo he dicho. Es lo contrario. Contigo me siento valorado, apreciado... O sea, como Dios. Y con Cristina es al revés... No hay nada que explicar.

—Pero, ¿por qué?

—Pues no lo sé. Es así.

Los dos sabían por qué. Saberlo los unía. La diferencia entre ellos era sólo que Ortega pensaba que porque se amaban, y Quirós pensaba que porque le amaban. Siempre que le amaban se había sentido igual: satisfecho y frío como un témpano.

—Contigo veo las cosas de otro modo. Me entran ganas de trabajar, bueno, trabajar quizá no sea la palabra adecuada. De pensar, de leer, incluso de escribir...

—Deberías hacerlo, eso, escribir. Todas esas cosas que me has ido contando de tu casa, tus padres, sus dimes y diretes, todo eso es material, buen material. Y tú lo cuentas bien. Con gracia...

—De *vis-à-vis*. Lo cuento bien de *vis-à-vis*. Porque tú estás delante, me haces caso, me das ganas de hablar. Se ve que te diviertes... Eso anima...

—Y a mí me anima que te anime. Es un gran éxito, créeme, después de tantos años, ser capaz de animar a alguien. Que alguien se sienta conmigo reanimado. Te parecerá una tontería: pero si tantos años he vivido solo, es porque estaba convencido de que mis cosas a nadie le interesan, mi manera de ser, que no podía ya servir de estímulo a nadie porque no soy capaz de animarme a mí mismo...

—Pues conmigo es al revés... Contigo todo es al revés.

—Eso suena casi mal. ¿Qué quieres decir con eso?

—Mi novia, Cristina, me da dinero, ¿sabes?, para ir tirando. Es raro, ¿no? O sea, yo soy un sinvergüenza, soy un mal tipo. Me aprovecho de ella. Nunca he hablado con nadie de esto. ¿Crees tú que hago bien en aceptar de ella dinero, de mi novia?

—Si ella te lo da..., si te lo da, será porque quiere, ¿no?, ya me lo contaste el primer día.

—Bueno, me quedo con las vueltas. Cuando salimos a cenar, o al cine, lo que sea, me quedo con las vueltas.

—¡Pero hombre, no lo digas así porque parece que la robas!

—exclamó Ortega echándose a reír—. Será porque ella quiere...

—Ya. Pero a la vez yo también quiero. Me aprovecho de la situación.

—No será para tanto. Las cosas pueden contarse de mil maneras. Tú estás contando esto ahora contra ti... Quieres convencerme de que eres un mal tipo. Ningún auténtico sinvergüenza haría eso...

—O sí. Además, yo no soy un auténtico sinvergüenza. Lo mío es mucho menor, es todo menor...

Volvieron a callarse los dos. Era como una confesión. Ortega pensaba: «Se echa en cara todo eso para ponerse peor de lo que es. No quiere engañarme.» Y Quirós pensaba: «Le estoy engañando sin querer. Queriendo y sin querer. Porque le estoy diciendo la verdad. Pero es una verdad que no puede él ver como verdad... Está atrapado. Y por eso me siento bien aquí, porque soy dueño de la situación.»

—En cualquier caso —dijo Ortega—, es provisional. Ahora mismo no tienes muchas alternativas que digamos. Las cosas están mal, no hay trabajo, o los trabajos que hay son como el mío: sin interés, sin valor, rutinas... ¿Qué adelantarías metiéndote en trabajos así? Más vale esperar. Te queda mucha vida por delante...

—¡A ti sí que te queda mucha vida por delante!

«No puede ser verdad —pensó Ortega—, pero el error tiene que ser mío. Soy yo quien no consigue sacar partido de todo esto. Tranquilizarme. Tomar las cosas como vienen. Hay que tomar las cosas como vienen...» Y pensó Quirós: «¿Qué estará pensando? Seguramente nada. Yo le ocupo la conciencia, yo soy el final de su conciencia, el fondo sin luz de sus sentidos. Lo está pasando bien. Y yo también. Hay que tomar las cosas como vienen...»

—Te voy a poner un poco más de vermouth y otro poco de ginebra —dijo Ortega—, y más hielo.

—Sólo un poquito más —dijo Quirós.

Eran ya las diez de la noche. Ya había anochecido. Se estaba

114

bien en el cuarto de estar de Ortega, con la ventana abierta a la terraza fragante del estío. La nada.

«No te vayas todavía, que tenemos que hablar.» Esto había sido sobre las diez de la mañana. Eran ya casi las once. Nada más desayunar, cuando Quirós se disponía (aquella mañana venía la asistenta) a salir de casa. Su madre le había detenido con esa frase, entreabierta ya la puerta, casi en el descansillo. Los días de asistenta, su madre se levantaba más temprano que de costumbre y se ataba un pañuelo de seda a la cabeza, a la holandesa. Los rulos se notaban en hileras debajo del pañuelo. Quirós pensaba que el noviazgo con Luis había definitivamente contribuido a mejorar la apariencia de su madre. Incluso hoy, las chancletas color rosa, de tacón de coja, eran nuevas. Y también era nueva, a rayas azules y amarillas, la bata de casa de percal. E incluso le pareció notar a Quirós un nuevo perfume, el olor de su madre había cambiado, había adelgazado, cobrado una presencia menos ancha y robusta que la antigua, más incisiva y fresca, de perfumería fina. Un perfume mejor, quizá un regalo de Luis, que duraba también más, e iba y venía por la casa con la dama como una mariposa azul y verde. Pero más todavía que la frase (al fin y al cabo, desde niño, Quirós se había acostumbrado a hacer recados y a ser detenido a última hora, momentos antes de salir para precisamente eso. Hacer recados había seguido siendo con los años, y después de la muerte de su padre, casi la única función que, inequívocamente, cumplía en su casa) le había sorprendido el tono casual y a la vez seco, imperativo, con que fue pronunciada. No el tono de alguien que tiene prisa, por ejemplo, que necesita que se le haga con urgencia un recado, sino el tono de alguien que, teniendo algo importante que decir, pide que se suspenda todo y se le atienda antes de tomar cualquier determi-

115

nación. Lo que su madre había solicitado era que Quirós no saliera de paseo, suspendiera toda actividad aquella mañana y estuviera pendiente de lo que tenía ella que decirle ahora o luego. Y había algo en ese tono, pensaba Quirós, que implicaba también la dilación como parte esencial del contenido a comunicarse. Un contenido alquitarado, provisto ya de estilo, que requería del receptor una como preparación o, por lo menos, una relativamente indefinida espera. Quirós pensó que, fuera lo que fuera, su madre consideraba que la comunicación requería, para hacerse, un solemne preámbulo vacío. De aquí que Quirós se sintiera a la vez irritado y, a pesar suyo, preocupado. No era difícil adivinar que, casi con seguridad, su madre traería a cuento el asunto de sus bodas. Pero había algo en aquel tono (a Quirós quizá se le hacían los dedos huéspedes) que implicaba una definición o declaración de algo inevitable. Por fin, doña Teresa entró en la sala y cerró la puerta tras sí cuidadosamente. Del otro lado de la puerta, del vestíbulo y del hueco y alto pasillo que evocaba a Quirós cada día, en rápida abreviatura, toda su niñez y el amor que sentía por la casa paterna, mucho más que por sus padres, venía el zumbido de la aspiradora y los trastazos enérgicos que daba la asistenta contra el rodapié al ir de un lado a otro. También este ruido era familiar; sólo que hoy llevaba, como un exceso de guindilla en una carne estofada, un sobresalto incómodo.

—Mira, César —empezó doña Teresa—, no tenemos más remedio ya que hablar, enfrentarnos con esto... —Doña Teresa encendió un Fortuna y aspiró una bocanada de humo con pensativa decisión, con deleite. Se miró también, con un gesto coqueto, las uñas recién dadas de esmalte color fresa.

—Te veo muy peripuesta —dijo Quirós— para ser día de asistenta. Se te va a saltar el esmalte de las uñas.

—Es que luego, enseguida que se vaya Evangelina, tengo que salir. Además, voy lo normal. ¡Hijo, ni que fuera hecha un desastre todo el año! ¿Cuándo me has visto tú a mí desarreglada?

—No, si no digo nada —masculló Quirós.

—No lo dices pero lo piensas, bueno eres. Los hijos a los

116

padres nos juzgáis horrible, ya lo sé. Todo os parece mal. ¡Y no me digas que no porque es que sí!

—Pero bueno, a ver, ¿de qué querías que habláramos?

—¿Cómo que a ver, a ver? ¿Qué es eso de a ver?

—Pues *a ver*, ¿qué quieres que sea?

—A mí no me vengas con *averes*, porque no te lo consiento...

—¡Pero mamá, si no es venirte con *averes* ni leches! Es que me dices que me espere y llevo aquí una hora.

—¿Una hora ya? ¡El tiempo, por Dios, si es que se pasa en nada! Tampoco es que tengas prisa. ¿O es que tienes prisa?

Quirós miró a su madre fijamente. Encendió un pitillo. Se acomodó al borde del sillón, apoyando los codos en las rodillas. Habló con deliberada suavidad, casi en voz baja:

—No. No tengo prisa.

Doña Teresa alisó un poco la falda con la mano. Cubrió las dos rodillas con la falda, cruzó las piernas, descruzó las piernas. Se cogió las rodillas con la manos...

—Es que... —dijo, por fin— tenemos que hablar. Ya no podemos más tiempo pues dejarlo. Lo hemos ido dejando... y dejando y dejando, y de un día para otro y, mira, las cosas hay que hablarlas...

—Eso. Hay que hablarlas. ¿Por qué no empiezas ya?

—Porque te veo tenso, por eso. Porque no te veo natural, te veo tenso. Ya sé que estás en contra, ya lo sé.

—Pero, ¿en contra de qué? ¿De qué estás hablando?

—¿Lo ves? ¿Lo ves cómo estás tenso? Mira, a una mujer esas cosas no se nos escapan. Te veo tenso. Como en tensión. Y es porque estás en contra...

—Pero, ¿de qué, mamá? —suspiró Quirós—. ¿En contra de qué estoy?

—De lo nuestro.

—No estoy en contra de lo vuestro. Te lo he dicho ya. Más de una vez. Me alegro mucho. De verdad. Me alegro. Así, sencillamente, me alegro, me alegro, y ya está dicho...

Doña Teresa hizo un puchero. Con el dedo anular ensortijado, se esparció un agua que la había brotado en el rabillo del ojo derecho y del izquierdo. Encendió otro Fortuna: que ella que se alegraba de que se alegrase, que como parecía que casi no tenía ni un hijo ni una nada, que ella siempre se había valido sola, porque ésa es la verdad, que siempre sola, que no quería influirle, nunca había querido, que por no influirle que ella había sabido guardarse las penas bien adentro, porque ésa es la verdad, la verdad pura, que lo dijera si no Charito, su amiga, que ella que nunca había pensado en ella, que ella que siempre había antepuesto, siempre lo primero, su hijo antes que nada ni que nadie, se había tragado la pena y el dolor, la soledad y la pena, que porque Luis era muy bueno, porque era muy bueno, porque más bueno no le había, por eso habían esperado y esperado, que ya no podían esperar más, que eso Quirós tenía que comprenderlo, que al fin y al cabo también era él un hombre... Doña Teresa, embalada, tenía borbotones de lágrimas negruzcas en el rímel. Se sacó de la bata un pañuelito y una polverilla de concha diminuta que Quirós no conocía. Y con ayuda del pañuelo y el espejo y mucho parpadeo, arregló el desperfecto, se atusó con la borla un poco ambas mejillas. E iba a proseguir, ya restaurada. Pero Quirós dijo:

—¿De qué querías que habláramos, mamá? Hasta ahora, todo lo que has dicho, estoy de acuerdo. O sea, con todo. Os vais a casar. Me alegro mucho. ¿De qué querías hablar?

Doña Teresa dio un respingo. Fue como un saltito. Saltó un poquito en la butaquita pizpireta. Se tiró de la falda, echó el humo, aspiró el humo del Fortuna.

—Pues me parece a mí —declaró secamente— que hablando estamos, y que hablando estoy. Otra cosa es que tú no tengas corazón y no me entiendas o no me quieras entender, que no es lo mismo. Sí, no me mires, con esos ojos de tu padre, iguales. Porque en algunas cosas sois iguales. La misma cerrazón de mollera, puñeteros. Porque sois los dos muy puñeteros. Sí, no me mires. Yo nunca te lo he dicho, pero ahora me ves como me ves y ni un detalle. A tu madre, llorando, aquí llorando, una mujer como yo soy, que jamás me has visto ni una lágrima, que he pasado y que paso por carros y carretas y lo primero, para que lo sepas, lo primero aquí contigo... —Doña Teresa, en este punto, había aplastado el cigarrillo, materialmente deshaciéndolo, espachurrándolo, y ahora con dos dedos de la mano izquierda, los dos juntos, daba en la mesa del café golpecitos rítmicos y fuertes. (Una mujer de armas tomar, Dios nos bendiga.) Quirós se estaba llevando una sorpresa. La verdad era que nunca había visto a su madre tan así. Teniendo en cuenta que madres no hay más que una, esta sorpresa estaba siendo la más desagradable de su vida. De aquí que toda su irritación preliminar (que, en la medida en que le separaba del objeto irritante, le otorgaba una cierta libertad y lucidez) había cesado. Sólo había una doña Teresa remozada, a mala leche, surcada por sentimientos que más parecían resentimientos que otra cosa. Y poseída, como un demonio con el menstruo, por unas intenciones, o intención secreta, que Quirós no lograba adivinar. Tanta era su sorpresa que tampoco lograba pensar nada o decir nada. Y se quedó callado. ¿Qué iba a hacer?—. Mira, César, es hora de que hablemos claro, no por mí sino por Luis. Por mí, yo me callaba, por mí, yo lo dejaba. Yo soy tu madre y una madre es una madre, y bien sabe Dios que como yo no hay muchas, ni muchas ni muy pocas, que no hay casi ninguna. Y no me pongas cara de guapito porque no me voy a conmover, lo mismo igual hacía tu padre. Y yo ya he dicho basta, he dicho basta y basta, así que no me voy a conmover. Porque además, no lo hago por mí que es por Luis. Por Luis, sí, por Luis, ¿tan raro te parece? La juventud como no amáis y no queréis a nadie, porque todo se os vuelve cuatro mierdas de cuatro besos y cuatro marranadas. ¿O es que tú te crees que yo soy tonta? Pues yo de tonta tengo poco y mira, cuando tu padre, que en paz descanse, me decía, tú, Tere, es que eres tonta y encima no lo puedes remediar, así como lo oyes, bueno, ya lo sabes, porque tú ya lo sabes tu pobre padre cómo era. Yo pensaba: sí, sí, tonta, muérete y verás. Y se murió, mira por donde. El listo al hoyo y la tonta al bollo... Así que mira, César, nos vamos a casar y ya está dicho...

—Enhorabuena, mamá.

—Muchas gracias, hijo. Y la luna de miel pues, la verdad, pues no queremos gastar dinero en tonterías. Porque desengáñate, que son bobadas, que si Marbella, que si La Toja, que si Santander, que si París. Yo he dicho no y es no. ¡Qué Santander ni qué ocho cuartos! La calle de Hortaleza. Aquí va a ser. Se hace la recepción, se dice adiós, adiós, adiós. Se toma un taxi, nos metemos los dos en nuestro taxicito y si te he visto no me acuerdo, a Hortaleza y a cenar a California de plato combinado y juanillete, que a Luis y a mí es lo que nos gusta. Y con lo que ahorras, porque ahorramos, así ahorramos, me compra Luis un solitario para el meñique que me encanta, y santaspascuas...

—O sea, que no vais a hacer viaje de bodas...

—Déjame terminar, hijo, deja que acabe, deja a tu madre que se explaye... La luna de miel aquí en casita, qué felices seremos los dos y qué dulces los besos serán. ¿Qué vamos a necesitar? ¡Pues nada! Luis con la ilusión que está, porque está el hombre que no vive, un piñón en el culo, el pobre está... Y yo, pues bueno, para qué voy a negártelo, ilusionada estoy porque lo estoy, porque no tengo más remedio, porque es una maravilla de un amor de una atención de un constante que parece que no hay otra porque yo le digo, yo misma se lo digo, míralas a las otras, hombre mira, si es que hasta pareces maricón, míralas cómo van, las guayabitas, que está que mermenea la Gran Vía. Y él, nada, él que me mira y que me come, porque me come, porque parece un crío de veinte años... Así que ilusionada, pues estoy. Para qué nos vamos a engañar. Pero, claro, eso sí, tú te tienes que ir...

—Yo me tengo que ir... —repitió Quirós.

—Tú te tienes que ir, sí, hijo. Lo que es la luna de miel estrictamente. Luego vuelves. Cosa de mes o mes y medio. Ya te avisaremos...

Ortega se levantó animado, descansado, con ganas de desayunar y darse un buen paseo. Era domingo. Pensó llegarse hasta el Retiro. Hacía años que no iba. Eran las ocho de la mañana. Las calles vacías. Ni siquiera los kioskos de periódicos estaban abiertos. Se sentía ligero. Caminaba a buen paso. Le daba el sol en la cara. Se había despertado en medio de una pesadilla confusa que no recordaba ahora. La conversación de la tarde anterior era un recuerdo borroso que, sin embargo, le mantenía ahora exaltado, divertido consigo mismo. «Si pudiera conservar este estado de gracia, este sentimiento de inefabilidad que se combina con una voluntad de elocuencia, podría volver a escribir de nuevo. Fue la impaciencia lo que me retuvo apresado todos estos años. Un lastre de melancolía y de amargura que negaba todo lo que hacía. Pero, ¿y si eso acabó ya?». Que alguien se interesara por él, así de pronto, como Quirós parecía interesarse, le mantenía en un estado de sorpresa permanente. Alguien que parecía capaz de entenderle sólo con medias palabras y que era, a la vez, todo lo joven que podía desearse... Al llegar a la Puerta de Alcalá decidió seguir todo a lo largo del parque, por Alfonso XII. Al final, en el horizonte, el Cerro de los Angeles calcinado y pelado, pero claramente visible a esa hora, recordaba un horizonte marítimo. Y la cúpula moscovita de la casa de la esquina de la Cuesta de Moyano le hizo pensar en una ciudad extranjera, en ninguna parte, una calle extranjera de silenciosas casas cerradas y altos portales, anchos para la entrada de los carruajes, cerrados... Caminaba despacio deseando que aquella sensación de pacífica aventura que le movía durara la mayor cantidad de tiempo posible. Iba pensando que podía prolongar su paseo durante toda la mañana y comprar *El País* más tarde y leerlo detenidamente a la sombra de los castaños. «Es dulce ser insignificante y poder perder un día entero a solas dando vueltas por un parque de árboles frondosos e ir a almorzar luego a una cafetería. Una comida tranquila leyendo el periódico. Una larga sobremesa hasta las cuatro. E ir luego al cine a las cuatro y media a ver una película entretenida, casi cualquier película. Y regresar luego a casa a pie, una vez más, a la novela de Angus Wilson que acababa de empezar, *The middle age of Mrs. Elliot,* hasta la noche, y dormir temprano. Estar durmiendo ya a las diez de la noche...» Le hizo sonreír esta representación de su vida que, con ser en teoría perfectamente posible, siempre había resultado impracticable. Esa imagen pacífica de un hombre de cuarenta y seis años, decentemente vestido, que representa quizá cincuenta, casi invisible, que lee el periódico en un banco del Retiro y que almuerza solo, y que va al cine de las cuatro y media, contenía un germen de inquietud. Su pronunciada paz era su pronunciada inquietud. Como si Ortega, por más que se empeñara, no pudiera atenerse solamente a estos modestos simples actos placenteros, vuelto sobre sí mismo.

Se detuvo poco antes de llegar al Angel Caído. Se sentó en un banco. Una tristeza innumerable, un tedio incalificable que parecía provenir de los setos de boj y de los árboles sin nombre a espaldas suyas. El sentimiento de su insignificancia, que momentos antes le había regocijado, le oprimió ahora como una violenta acusación. Sin darse cuenta se le habían hecho ya las diez de la mañana. Todo un largo domingo de soledad por delante. Ortega se desabrochó el cuello de la camisa, se aflojó la corbata, empapado de sudor, consternado, aterrado por el perfil monótono de su invencible soledad.

Ortega pasó un mal domingo. El sentimiento de la propia soledad que de pronto le había explotado, como un artefacto, a las once de la mañana en el Retiro, le persiguió durante todo el día desfigurando todos sus hábitos minuciosos y pacíficos, volviéndolo todo insatisfactorio, como un dolor de muelas. Y por más que

Ortega se hacía a sí mismo reflexiones de este género: «Es como un dolor de muelas. Es un malestar pasajero», el sentimiento de la soledad no se iba, sino que se acrecentaba con el calor del día, con el almuerzo en la cafetería refrigerada, con la visión, tantas veces desdeñada, de parejas aparentemente felices, que, a su alrededor, hablaban animadamente, reían por cualquier cosa. Decidió volver a casa después de comer, ducharse, encender el ventilador, echar la siesta. Procuró tranquilizarse pensando que era su día libre, que disponía aún de toda una tarde, que era agradable echar la siesta hasta las seis y media e irse luego al cine. Pero todas estas imágenes con su secuela de pequeñas gratificaciones posibles, envenenadas por la soledad, le resultaban insípidas. Todo se sumaba a la soledad en una gigantesca batahola enmudecida, una rompiente de gestos apagados, como un único gesto reproducido indefinidamente. Como un enfermo, tendido en la cama, se decía Ortega: «Esto pasará. Tiene que pasar. Ya está pasando. Dentro de unas horas, cuando me duerma y mañana temprano cuando me levante, todo esto habrá pasado. Un domingo de verano que me he dejado arrebatar por los diablos que todos llevamos en el cuerpo.» Pero estas reflexiones (al fin y al cabo accesos de soledad análogos había sufrido Ortega ya muchas veces antes) no lograban apartarle de la idea más fuerte y que menos se atrevía a explicitar directamente: el que todo aquello proviniera, al fin y al cabo, directamente de la aparición de Quirós y del consuelo que su compañía le había proporcionado. «No puedo convertir a este chico en un consuelo, en un antídoto contra mi soledad que es sustancial y no hay quien la deshaga.» Pero repetir estas frases sólo servía para hacer aún más deseable la compañía del muchacho.

Así que cuando Quirós al día siguiente, nada más volver Ortega de la oficina, le llamó por teléfono, se sintió desmesuradamente alegre. Ya al oír el teléfono, tuvo un sobresalto de gozo, como un reflejo condicionado. «Creí que sería una equivocación», le dijo a Quirós, después de saludarle. «¿Por qué iba a ser una equivocación?», quiso saber Quirós. Y Ortega se echó a reír, no sintiéndose capaz de resumir en una sola frase telefónica toda la complejidad, y al mismo tiempo, toda la simplicidad de sus sentimientos en aquel instante. Quedaron en verse hacia las siete de la tarde, en Ríos Rosas. Algo, sin embargo, en la voz de Quirós por teléfono, una especie de elocución pastosa, como de alguien ligeramente bebido o recién salido de una siesta, le pareció a Ortega que contrastaba un tanto bruscamente con su infantil alegría. No preguntó nada porque temió que residuos de la resaca sentimental del día anterior se colaran, bajo forma de suspicacias, en cualquier pregunta acerca del indudablemente desusado tono de voz del chico al concertar la cita. Lo que sí ocurrió fue que a la alegría de verle, abrirle la puerta, hacerle pasar, ofrecerle un *gin tonic*, se superpuso, como una ligerísima reserva mental, una voluntad de simulación por parte de Ortega, una como cautela expresiva. Y muy pronto, de hecho, casi nada más sentarse los dos frente a frente, tuvo ocasión de comprobar Ortega que su cautela por lo menos estaba justificada. Quirós no estaba de muy buen humor.

Esto era una novedad. Ortega no había visto nunca a Quirós malhumorado. Más aún: le resultaba, incluso ante la innegable presente evidencia a favor de lo contrario, muy difícil casar su brillante y exaltada imagen del muchacho con lo deprimente y grisáceo de un malhumor a duras penas contenido. Porque Quirós, visiblemente, hacía un esfuerzo ante Ortega por disimular su malhumor. Aquí, en este primitivo forcejeo entre la buena educación por parte de Quirós y sus evidentes ganas de fruncir el ceño y dar una patada en el suelo, era donde más se notaba que al fin y al cabo, a pesar de las muchas confidencias que se habían cruzado entre ellos, Quirós no se encontraba todavía a sus anchas y, según suele decirse, en casa de Ortega «como en casa». Y Ortega sintió aumentarse su alegría al advertir esto porque le pareció una ocasión inmejorable la presente para infundir confianza al chico y hacer que se sintiera «como en casa». Y en esto, Ortega, aparte otras consideraciones, no sólo obraba un tanto a la ligera sino además contrariamente a sus propias convicciones de hombre ya

124

maduro y chapado a la antigua, para quien ningún mahumor, por justificado que esté, debe anteponerse a la compostura y urbanidad más puntillosa en una relación entre dos amigos. Ortega estaba convencido de que los nervios y los malos humores deben, en presencia de los amigos, si no disimularse por completo, sí, ciertamente, dominarse. Así que cuando dijo:

—Me parece verte de mal talante un poco. ¿Qué te pasa? —actuó Ortega con muy poca cautela y peor gusto, aunque quizá, pobre Ortega, con una naturalidad conmovedora. La respuesta de Quirós le sobresaltó más incluso de lo justo, precisamente por eso.

—¡Estoy de mala leche, sí!, ¿qué pasa? ¿Es que no puedo estar de mala leche?

—Por supuesto que sí, claro que sí —balbuceó Ortega. Quirós se replegó enseguida (el sobresalto de Ortega era demasiado visible, para Quirós incluso), pero lo hizo torpemente, porque sus sentimientos y sus intenciones se hallaban revueltos malamente aquella tarde.

—Perdona, pero es que ¡estoy hasta el gorro de que me tomen por el pito del sereno!

—¿Quién? —inquirió Ortega, superado ya su sobresalto, por lo menos superficialmente y deseoso, casi a su pesar, de inyectar una cierta ironía apenas maliciosa en su pregunta—, ¿quién te toma por el pito de el sereno? —y Ortega subrayó exageramente la propiedad del pito diciendo «de el».

—Vale. Me he pasao. Ya me doy cuenta. Perdona.

—No hay nada que perdonar. Si quieres me dices qué te pasa, y si no quieres no y nos tomamos tranquilamente nuestras copas. Todos tenemos días de mala leche. Yo, ayer mismo...

—Es mi puta madre —le interrumpió Quirós—, que se casa y me está dando el coñazo. No se puede llamar de otra manera...

Ortega pensó: «Me desagrada esto. Este tono de voz. Esta violencia. Este anteponer esta violencia a una explicación que, desde luego, ahora está obligado a darme. Pero, a la vez, ¿no hay algo malo en mí, un resto hipócrita y cortés, que me hace sentirme sencillamente incómodo ante la violencia ajena cuando debiera sentirme, en realidad, preocupado por su origen y su razón de ser en el muchacho?» Ortega pensó esto con mucho detenimiento y casi palabra por palabra; de suerte que se hizo el silencio entre los dos, el primer silencio desconcertado, agrietado, de aquella relación donde, hasta la fecha, todo, presencias, ausencias, silencios y diálogos, habían sido, para Ortega, espacios dulces, dorados y homogéneos. Por eso pensó: «En vez de sobresaltarme como una vieja clueca, debo ayudarle e incluso forzarle a que se exprese tal y como es, a que diga todo lo que siente, por desagradable que sea.»

—Vamos a ver, amigo mío, di lo que sea, patalea todo lo que quieras, eso es más sano que callarte o que fingir que no te pasa nada... —Ortega sonrió y encendió un pitillo.

—¿Así que sientes curiosidad, eh? ¿Te gusta el morbo...? —murmuró Quirós salvajemente.

Ortega no pudo remediar sentirse herido. Pero, a la vez, pensó que sentirse herido era una autoindulgencia y un negar, en el interior de su corazón, al muchacho, aquello mismo que hacía un momento acababa de proponerse concederle: indulgencia. Una atención desinteresada, capaz de saltar por encima de las obvias descortesías y brusquedades de una tarde de malhumor, para abrirse a lo que verdaderamente importaba: aquello que Quirós, según Ortega, con sus exabruptos más bien ocultaba que mostraba y que, evidentemente, estaba torturándole. «Algo tiene que haber —pensó Ortega— en el fondo de esta violencia que a mí se me escapa porque, envuelto en la alegría de conocerle, he desatendido por completo la preocupación de conocerle tal cual es.» Y toda esta minuciosa reflexión, como un galimatías instantáneo, deslumbrante, hizo que Ortega se adelantara en su butaca y palmeara con la mano derecha la rodilla de Quirós. Quirós retiró la pierna bruscamente. Ortega dijo:

—Vamos a hablar de todo esto con calma, ¿eh? —Ortega, al tiempo que Quirós retiraba la pierna, se había vuelto a recostar en su butaca y había cruzado las dos manos por detrás de la cabeza, un gesto relajado. Más relajado, en apariencia, de lo que Ortega realmente se sentía. Su acción de dar unas palmadas amistosas en la rodilla de Quirós no había sido deliberada, sino espontánea, un gesto más veloz que el pensamiento y exterior, por así decir, a los conceptos e intuiciones, a los juicios con que *mentalmente* Ortega procuraba ponerse en situación de entender al chico. Quiere decirse, pues, que un movimiento corporal incontrolado acompañaba o precedía la conciencia que Ortega estaba teniendo todo el tiempo de la presencia de su amigo. Fue en ese instante, al tocarle, cuando Ortega por primera vez sintió la urgencia sexual de acariciarle, consolarle acariciándole, que hasta ahora Ortega no había sentido. Hasta ahora, por raro que parezca, Ortega no lo había experimentado. De aquí que, en su apariencia relajada, hubiera un repentino componente de delicia y delirio (por eso la apariencia de placidez era tan obvia, radiante, un poco teatral) junto con un componente de veloz retraimiento (como si acabara de quemarse los dedos), junto con un componente deliberadamente teatral.

—No hay nada que hablar —dijo Quirós, con un tono de voz más suave—. Es un coñazo.

—No lo dudo. Pero tampoco pasa nada porque uses, en vez de ese lenguaje emotivo de «coñazo» y «putada» que sólo sirven, como mucho, para expresar tu estado de ánimo...

—Perdona. O sea, perdona... —interrumpió Quirós.

—Déjame terminar. Tampoco pasa nada porque me des una explicación de todo ello. ¿Qué te pasa con tu madre?

—Que quiere tener la casa libre durante su luna de miel. Lo de «luna de miel», como comprenderás, es una reproducción literal de su frase. ¡La luna de miel, no te fastidia!

Ortega se echó a reír. En esa hilaridad había un aspecto voluntario (querer a toda costa quitar hierro al asunto y hacer ver al muchacho el lado cómico de lo que contaba) y otra parte involuntaria (lo más agudo y visible de esa hilaridad) que se correspondía más bien que con ningún aspecto objetivo de lo que Quirós contaba, con la euforia amorosa en que Ortega, sin darse cuenta apenas, se iba sumiendo aquella tarde.

—Yo no le veo la gracia —dijo Quirós secamente.

—Ha tenido gracia el modo de decirlo. Tu manera de decir «luna de miel». A mí me ha hecho gracia.

—Todo lo que yo digo te hace gracia, ya se ve.

—Hombre, todo, todo, no. Es bastante natural que quiera tu madre pasar una temporada a solas con su nuevo marido...

—¿Y dónde cree que voy a meterme yo? Eso es lo que quisiera yo saber. No se le puede decir a una persona, hale, guapo, ahora te largas de tu casa que ya te avisaremos cuando sea... Eso es tratarle a uno como a un perro... En fin, supongo que me lo tengo merecido. Ya debería haberme organizado. Hace años que debería haberme organizado. A mi edad, la mayoría están ya colocados, con sus novias, a punto de casarse, todos tienen su rollo ya montado...

—Tú también tienes novia —dijo Ortega.

—Sí. Yo también tengo novia —el tono de Quirós era sombrío ahora. Como si la enumeración de lo que le faltaba, repentinamente, le agobiara. Ortega se sentía inundado por una gozosa compasión. Hubiera deseado sentarse junto a Quirós y abrazarle. Siendo esto impensable, y advirtiendo Ortega en su compasión gran cantidad de impurezas, de egoísmos (de hecho, ahora se sentía avergonzado de su compasión como de algo indigno), dijo sencillamente:

—Perdona, pero no veo dónde está el problema. Quiero decir, y perdona que me meta en esto, que no veo por qué no puedes pasar una temporada, mientras dura la dichosa luna de miel, en casa de alguien, en casa de tu novia, en fin, incluso aquí... —Ortega había hecho una pausa milimétrica antes de añadir «incluso aquí».

—Muchas gracias.

—De nada, no las merece.

Los dos se callaron. Ortega tenía la sensación de hallarse al descubierto, haber apostado todo a una carta. Se sentía como alguien que acaba de declarar todo lo que en conciencia sabe de un asunto ante un juez y ahora, con la cabeza vacía, tranquilo, casi como en sueños, espera que se desplome la sentencia, lo inapelable. (Pero a la vez, y como por debajo de esta actitud propia del hombre que espera la sentencia de un juez, sentía Ortega el hormigueo delicioso de la esperanza, la certeza de haberse arriesgado sabiamente en el momento oportuno y estar a punto de ganar. Y, sin embargo —pero también a la vez—, sentía Ortega el miedo de todo solitario a ver su soledad invadida y sus pobres tranquilizadoras rutinas descompuestas. Y este miedo era punzante y no era nuevo, sino muy antiguo, como también era muy antiguo el desprecio que Ortega sentía por sí mismo cuando sentía que sentía este aguzado miedo de solterón timorato.)

—No me aguantarías. A los cuatro días me mandarías a tomar vientos.

—No lo creo. Cuesta trabajo creer que seas tan odioso como tú mismo te pintas.

—Quizá soy peor, mucho peor. Además, aquí no tienes sitio... —el tono de Quirós se había endulzado mucho. Estaba ahora más guapo. El malhumor le había echado años encima, disipados ahora.

—¿Que no hay sitio? Sobra sitio...

—No hay más cama que la tuya.

—Nada de eso. Hay otras dos camas por si viene mi hermana, que hace años que no viene... Sobra sitio...

Quirós pensó: «¿Me conviene o no me conviene?» Y Ortega pensó: «¿Me conviene o no me conviene?» Ahora que la propuesta estaba hecha, y que ya no dependía de él que se aceptara, Ortega se sintió en paz y logró distanciarse de su amorosa solicitud lo suficiente (porque se trataba todavía más bien de solicitud y de inquietud amorosas que de enamoramiento puro y simple) como para advertir en un instante (todo estaba sucediendo en un abrir y cerrar de ojos) que la presencia permanente de Quirós en la casa, sin nada que hacer en todo el día, podía resultar desazonante. Una cosa es disfrutar de la compañía de un chico guapo y joven un rato por las tardes cuatro o cinco veces por semana y otra cosa es tenerle perpetuamente encima. Y una vez más ahora se avergonzó Ortega de estos sentimientos miserables, de este cálculo hedonista que era consustancial a su manera de ser pero que no era, después de todo, más que un vulgar egoísmo. Ortega llegó a pensar también, oscuramente (casi más que un pensamiento fue una imagen desolada como un ave que sobrevuela un desierto y que grita repentinamente), que había algo razonable y decente en ese egoísmo y no sólo simple temor a un cambio de costumbres: una conciencia de las propias limitaciones y de las ajenas que bien puede decirse semejante a la auténtica comprensión del prójimo. Pero sobrevolando por encima de todos los sentimientos, pensamientos e imágenes, sentía Ortega, como una impotencia vergonzosa, la vergüenza del calculador que, en la medida en que calcula, se retrae y no es capaz de sentir pasión por la pasión y no se atreve, a suerte o a muerte, a enamorarse nunca por completo. De aquí que a la pregunta inicial acerca de si le convenía o no que su recién encontrado amigo se quedara a vivir un mes en la casa, respondió Ortega diciéndose que quizá, a la corta, no le conviniera y le incordiara pero que, con seguridad, iba, a la larga, a ser un bien para los dos. Por eso repitió:

—Hay sitio de sobra. Yo estoy fuera de casa todas las mañanas. Tienes toda la casa para ti y, en fin, de sobra sabes que yo estoy encantado de que te quedes. Eso sí, tendrás que hacerte el desayuno y la cama. Viene una mujer una vez por semana. Pero no se la puede meter más trabajo del que ya tiene...

—Es que no sé... —Quirós titubeaba. Durante el silencio, también Quirós había sopesado los pros y los contras del caso velozmente y no había llegado a ninguna conclusión—. Es que no sé si me conviene o no, si *te* conviene o no a ti...

—Si es por eso —intercaló Ortega inmediatamente satisfecho de ver que el muchacho daba muestras de preocuparse por su bienestar. Ortega no disponía de ningún criterio, ya a su edad, para distinguir entre cosas tan sumamente parecidas como son la expresión de un sentimiento auténtico y otro inauténtico. Desde un punto de vista formal, no hay ninguna diferencia—, si lo que te preocupas es por mí, no te preocupes. Te lo digo yo y basta. Yo estaría encantado de que mi casa sirviera para algo...

—Al fin y al cabo, apenas me conoces. Quiero decir que a la vez nos conocemos mucho y poco. Hemos hablado mucho... Pero una cosa es predicar y otra dar trigo...

—Nunca me ha parecido sabia la sedicente sabiduría de los refranes... —Ortega dijo esto por decir algo, sin atender en exceso al dubitativo contenido de las frases de Quirós. Y Quirós era consciente de que Ortega aceptaría siempre lo contrario de cualquier proposición que Quirós formulara explícitamente en contra de sí mismo. Era un juego muy fácil. Y le chocaba a Quirós que un hombre de la edad de Ortega se dejara atrapar tan fácilmente. Y no sólo le chocaba, sino que en el fondo le inspiraba un cierto desprecio (Quirós, dicho sea de paso, había sido educado en el desprecio como otros lo son en el amor o en la angustia y era, por consiguiente, propenso a menospreciar y a despreciar). Por eso repitió lo que acababa de decir de otra manera, por ver hasta dónde llegaba la ingenuidad de Ortega, su chocante, y levemente despreciable, poca vista:

—Una cosa es venir aquí a charlar un rato y otra cosa es quedarme aquí a vivir. Yo tengo mis manías, mis rarezas...

—Todos tenemos manías y rarezas. Yo también...

—Y yo también. Muchísimas. Y tengo mal carácter... Esta tarde misma, ya lo has visto: que me pongo muy burro, vamos. Luego lo siento pero ya no tiene arreglo...

—Es natural que sientas irritación en un caso así. Lo más natural del mundo. No digo que tu madre no esté justificada. Yo creo que lo está. La mujer, al fin y al cabo, tiene perfectísimo derecho a querer dedicar enteramente unos días a su nuevo matrimonio. Pero, a la vez, tu casa es tu casa. Y tener que irse de casa es una lata... A mí me hubiera molestado...

—Eres demasiado benevolente. Antes me puse burro y ahora lo siento. Lo siento mucho...

—No hay nada que sentir...

—Es que no sé. Mira, lo de venir aquí, pues no lo sé. A mi novia podría molestarla...

—No había pensado en eso —confesó Ortega.

—Pues yo sí. Es que no tengo más remedio que pensar en ello. Al fin y al cabo, venirse a vivir a casa de alguien es como muy íntimo. Podía pensarse cualquier cosa...

—Bueno, pero tu novia ya sabe que vienes por aquí de vez en cuando. Tú ya le habrás contado...

—Bueno, no, no. Yo, de lo nuestro, prácticamente no he contado nada. Es muy especial. Es una relación muy especial. Bueno, yo lo veo así, como muy especial. Yo así lo veo. Y no, no lo entendería. Yo qué sé... La he dicho, sí, que te he conocido y tal, pero muy por encima...

—Tampoco hay nada que ocultar... —exclamó Ortega, que no había podido reprimir, mientras Quirós hablaba, una sensación de malestar indefinido, algo que en cualquier otra persona hubiera sido indignación. Pero Ortega no podía sentir indignación porque, en realidad, ya él mismo se había planteado dudas análogas a las que Quirós atribuía a su novia. Ortega era el primero en reconocer que su relación con Quirós no era del todo clara, del todo presentable. ¡Cómo no iba a reconocerlo si cada rato que pasaba sentía enamorarse cada vez más del chico! Y Quirós era consciente de que Ortega era consciente de que probablemente a Cristina la relación entre los dos podía sorprenderla y molestarla. Por eso, triunfante, añadió:

—Ya. No hay nada que ocultar, pero no sé... La verdad es que no lo sé. Déjame pensarlo...

—¡No veo qué tienes que pensar! —saltó Ortega malhumorado repentinamente.

No es que fuera malhumor. Es muy posible que esa exclamación (abrupta y todo) fuera también parte de la dicha que, como una picazón, aquella tarde le asediaba. Es muy posible que si Quirós no hubiera sido en realidad Quirós, sino semejante, en parte al menos, a la imagen semisagrada e inquieta y pacífica que Ortega se hacía de Quirós, aquella exclamación hubiera encajado en la urdimbre de un dulce circunloquio (tanto más dulce cuanto más extenso y arriesgado). Pero Quirós era Quirós y no había nada en el reino de las esencias inmutables capaz de traspasársele y hacerle menos brutal o más tierno o más humilde. Y era, además, muy mala tarde porque Quirós andaba encabritado por la maligna putada de su madre y su conciencia volvía y volvía a ella como un innoble tábano a una llaga de mula. Así que el malhumor tan sólo un poco se le había borrado del ceño y de los labios, pero seguía como una aguja punzando el corazón, los negros pechos ventrílocuos de la mala leche. Así que dijo:

—¡Y yo no veo por qué coño no lo entiendes! Es bien fácil de entender. Lo nuestro, o sea, esta amistad no es cosa de mujeres. No hay nada entre nosotros, vale, pero parece que lo hay. Y en cierto modo lo hay, ¿o no lo hay?

Ortega no salía de su asombro. Y, a la vez, no entraba en el interior de su asombro por entero. No podía, justo en aquel instante, desguazarse y distinguir, en las palabras de Quirós, lo sano y verdadero de lo infirme. Y hubiera sido necesario porque, a pesar de Quirós mismo, había en sus frases una cierta clase de verdad, de fuerza, un llamar al pan pan y al vino vino del cual Ortega hubiera podido, ¿por qué no?, beneficiarse. Pero Ortega estaba condenado aquella tarde calurosa y lábil a someterse al fofo imperio de la dulzura que le embargaba y le empeñaba empecinándole en ver a Quirós sólo como imagen y sombra de sus ilimitados deseos de realidad, de comprensión y compañía. Por eso, en vez de hablar claro, hablaba poco, hablaba en voz muy baja. Por eso dijo:

—Hay entre nosotros un afecto que no tiene por qué calificarse a toda marcha. No hay ninguna prisa. Lo que quiero decir es que, si te conviene, esta casa está a tu disposición... mientras tu madre pasa un mes o dos con su nuevo marido haciendo manitas... Disculpa esta pequeña broma a costa suya. No me negarás que lo que cuentas tiene cierta gracia...

—Lo que yo digo —dijo Quirós— es que una cosa como ésta —e hizo con el brazo derecho un amplio gesto semicircular, absurdo, que designaba todo y nada y que incluía subrepticiamente el sentimiento de culpabilidad de Ortega en su trazado, como un ente de razón *cum fundamento in re*. Y ese gesto de Quirós tenía mucho de magia, una inmovilizadora magia, paralela al hechizo que encadenaba a Ortega a sus deseos—, una cosa como ésta no es fácilmente comprensible si se ve desde fuera. Vista desde fuera cualquiera pensaría, Cristina lo pensaría seguro, que estamos encoñaos. Y eso es natural que le moleste a la chica.

—Yo no lo veo así del todo —murmuró Ortega, batiéndose claramente en retirada—. Al fin y al cabo, ha sido todo perfectamente natural. Una casualidad, vaya...

—Eso no hay quien lo crea. En esto no hay casualidades. Hay lo que hay y si nos gusta, si nos va la marcha, lo mejor es seguirlo hasta el final... Cualquier cosa menos dar explicaciones. ¿Me estoy explicando claramente o no?

—Pues no lo sé. A mí me gustaría tomar esto más sencillamente...

—¿Sencillamente? ¿Sencillamente una relación como la nuestra? ¡Tú estás loco!

—Yo lo veo muy sencillo —mintió Ortega.

Tampoco él creía sinceramente que aquello fuera tan sencillo. Pensó: «Si yo pudiera hablarle dulcemente, transformar este estado de cosas en algo comprensible...»

—Mira, es mejor que lo dejemos. Te voy a ser sincero, después de tanto hablar yo necesito, y eso aquí brilla por su ausencia, reconócelo...

—¿Qué es lo que brilla por su ausencia?

—Una presencia femenina. Una mujer, joder, una mujer. El rollo este me trae frito. No hablar claro. Tú estás acostumbrado a no hablar claro. Te avergüenzas. Hablas un poco, te callas, empiezas otra vez. Esto no es natural. Es, es... Ahora, por ejemplo, sales con que te encantaría que pasara unos días en tu casa. Y cuando yo te digo que mi novia a lo mejor va a molestarse, te cabreas...

—Hombre, tanto como cabrearme...

—Así no vamos a ninguna parte.

—No hay que ir a ninguna parte.

—Me voy. Mañana vuelvo. Nos estamos liando. Me estás liando...

Quirós se levantó. Los dos se levantaron. Quirós se iba hacia la puerta. Ortega le detuvo. Le cogió por el hombro. Le miraba a los ojos como un perro.

—¿Vas a volver mañana? —murmuró.

—Claro.

—¿De verdad?

—De verdad, joder. Vamos a no liarnos, ¿vale? ¡Quítame las manos de encima!

—No puedo vivir sin ti —murmuró Ortega.

—Mañana vuelvo, ¿vale? —murmuró Quirós muy dulcemente.

—Mañana vuelves, ¿eh?

—Mañana vuelvo.

—De verdad, vuelve. Te llevo casi treinta años.

—¿Qué tiene eso que ver?

—Son muchos años.

—¿Qué tiene eso que ver?

—Vas a volver mañana, ¿verdad que sí?

—Sí, claro.

—¿No lo dices por decir?

—¡Qué va! Vengo porque quiero.

—Si no quisieras no vendrías.

—No te pongas así, majete, anda, me da vergüenza verte así.

—A mí también me da vergüenza. Es que no lo puedo remediar...

—Estás llorando, joder, domínate.

—Siempre me he dominado. No creas que soy un viejo verde.

—¡Qué coño viejo verde ni qué leches! Tú tranquilo.

—Siento haberte molestado.

—Nada, hombre, nada.

—Lo siento mucho, de verdad.

—Nada, tú tranquilo.

—Tengo casi cincuenta años. He fracasado en todo.

—Todos hemos fracasado. Todo el mundo fracasa. Si no hubieras fracasado, no me hubieras conocido.

—¿Te alegras de haberme conocido?

—¡Pues claro, hombre! Eres un tío fenómeno.

—Soy una mierda.

—Hasta mañana, eh.

—Espera un momento que llamo al ascensor.

—Bajo a pie, me es igual.

—Siento mucho haber perdido al final los nervios, perdona.

—¡Y dale! Tú tranquilo. Me alegro de haber hablado así, sinceramente. Me ha venido muy bien, de verdad.

—¿De verdad te alegras?

—De verdad.

—A mí es muy fácil engañarme. Apenas veo nada.

—¡Vale, tío! Tampoco lo exageres, que tienes mucho cuento tú también. Ya está aquí el ascensor.

—Lo siento mucho.

Quirós cerró de golpe las dos puertas. La cara le brillaba. Relucía. Eran las once de la noche. No había un alma en la casa. El veraneo. Se hizo el silencio lentamente, como un pozo. La noche verde y negra, abrillantada por luces indistintas de Ríos Rosas, y el frescor del Canal y la negrura de la conciencia insoportable, el alma en pena...

«Ni siquiera —pensó Ortega— dedicándole mi vida entera.» Era otra vez lo mismo. Otra vez Cuatro Caminos. Otra vez las cuatro de la tarde. La única diferencia es que esta vez era Ortega quien había llamado por teléfono. «Tengo que concentrarme en lo que dice», pensó Ortega. Y se recordó a sí mismo por centésima vez ya en el cuarto de hora que llevaban reunidos que era él quien había llamado por teléfono. Había sido un acto espontáneo. Llamarle nada más llegar de la oficina. Antes de ducharse. Sin quitarse siquiera la chaqueta. Ahora se avergonzaba. Debería corresponderle. Confiarle algo para corresponder a su confianza. «Entre los dos no hay nada que fundamentalmente nos distinga. No le estoy escuchando.» Hernández estaba hoy más tranquilo.

—He empezado a escribir un libro nuevo. Mejor que el anterior —repitió Hernández.

—¿Ah, sí? Espléndido.

—Es una continuación del anterior. En una línea más humorística. El editor me ha dicho que cuando lo termine me pagará por éste y por el otro. Que me va a dar cien mil pesetas. Tengo gana de ir al campo. Sentirme rodeado de la naturaleza. Hoy estoy mejor. Cuando me llamaste me había echado a dormir la siesta.

—¡Pero hombre, cuánto lo siento!

—No, si no me importa. Me gusta echar la siesta mucho rato ahora en verano, como no duermo por las noches... Bueno, duermo con píldoras pero luego me levanto mal... Hasta la hora de comer no tengo gana de hacer nada.

—¡Cuánto siento lo de la siesta! —y de verdad le avergonzaba haber llamado a Hernández para no sentirse aquella tarde tan solo. Y encontrarse ahora con que ni siquiera había tenido en cuenta que el pobre hombre, viviendo en la calle de las Carolinas, con treinta y ocho grados a la sombra, probablemente se echaría la siesta después de las comidas. Porque era una falta grave, un síntoma de su grave agonía espiritual, no haber tenido en cuenta aquel detalle, cuando era él, Ortega, quien había solicitado la entrevista. No había pensado en ello en toda la mañana, no había pensado en nada, había permanecido pegado a sus rutinas laborales, sin salir a desayunar, sin apenas pronunciar palabra, sin oír los recuentos del fin de semana de sus compañero. Y se había deslizado velozmente a la calle al dar las tres y vuelto a casa a pie, sin pararse a comer, sin gana ni de comer ni de beber, sin sentir apenas el bochorno que le pegaba la camisa al cuerpo. Y al entrar en casa había llamado a Hernández por teléfono. De pronto Hernández, con todo su enfermizo egotismo, le había parecido un refugio. Por eso era vergonzoso ahora no ser capaz de concentrarse en lo que Hernández contaba. Ahora, en aquella cafetería refrigerada y húmeda, veraniega y gris, exenta, a pesar de sus pretensiones de decoración barata, como la sala de espera de un ambulatorio, los incidentes de la tarde anterior se entremezclaban con angustia; una angustia que en parte era esperanza y en parte miedo a lo futuro. Porque había caótica neutralidad en lo futuro, una incalificable desazón, como si todo dependiera del azar y estuviera a la vez ya todo decidido, todo dicho, prefigurado y muerto en lo poco que había sucedido entre Quirós y él. Y a la vez el recuerdo de Quirós, aguzado y borroso, la forma de sus piernas, el color de sus camisas, el torneado oscuro de sus brazos, el olor limpio de sudor, el aura cálida de tenerle cerca y desearle (esto último estaba ya muy claro) le invadía como la repentina rebaba de espuma a la orilla de una playa sin espalda, como en una pesadilla, a cada poco rato, sin quedarse del todo, sin irse, un duermevela agobiante...

—La próxima vez, si quieres, te puedo leer algún capítulo... —oyó decir a Hernández.

—Desde luego. Además, es mejor leído. Los escritores leéis muy bien.

—También tú eres escritor.

—Yo también, desde luego —Ortega sonrió—. Lo que es que se me va olvidando ya con la falta de práctica...

—Será porque no quieres...

—Sí quisiera... si pudiera. Lo que es que hay ciertas cosas, escribir es una de ellas, que se agostan, si no se ejercitan a diario pues se agostan... —Ortega volvió a sonreír. Era la primera vez en casi tres años que hablaba a Hernández de sus cosas. El amigo común que les había presentado había subrayado (por razones, dijo, casi terapéuticas) la importancia literaria de Ortega. «Conviene que te vea como una figura un poco mítica —que además, en realidad, lo eres—, que pueda fantasear contigo entre entrevista y entrevista, figurarse que tiene una relación de gran intimidad con un personaje de las letras. A Hernández le da mucho por ahí, por escribir cartas a Sábato, a Aleixandre, a Fellini... que luego le contestan o no, eso da lo mismo. Y lo mismo contigo...» Ortega recordaba que se había reído de buen humor oyendo aquello...

—Yo escribo todos los días —aseguró Hernández, como un crío.

—Pues eso está muy bien. Así tiene que ser. Todos los días. Lo de menos es que salga bien o mal...

—Este nuevo libro va a ser muy distinto. Una línea más de humor, más humorística.

—Ah, eso está muy bien, el humor ante todo y sobre todo. Es la gran salvación...

—Yo es que no tengo sentido del humor. No mucho...

—Sí que tienes. En tu otra novela hay cosas realmente graciosas.

—¿Graciosas? ¿Sí? ¿Te han hecho gracia?

—Algunas cosas sí. Muchas cosas...

—¿Por ejemplo, cuáles?

Ortega apenas se acordaba. Tuvo que recorrer velozmente, mentalmente, el libro de Hernández. Lo había leído hacía seis meses. Le había aburrido mucho. Y lo había leído además por puro compromiso. Con ocasión de una entrevista como ésta. Lo había olvidado casi instantáneamente.

—Muchos detalles, muchas observaciones. Tendría que ver el libro para decirte exactamente...

—¿Te hizo gracia lo de la Vie passioné de Los Panchos...?

—¡Eso, por ejemplo, sí! —se apresuró a afirmar Ortega, que apenas se acordaba.

—Es que se me ocurrió oyendo las canciones de Los Panchos, ¿te acuerdas? Aquélla de «Ya sé que soy / una aventura más para ti / y que al morir la noche / te olvidarás de mí...». Y yo, pues monto un relato cómico, de humor negro, sobre las relaciones entre ellos... Aquello, sí, tenía bastante gracia. Muchos me lo han dicho.

—¡Y es que la tenía, mucha gracia!

—Pues en este libro, una novela...

—¿Cómo la vas a titular? —Ortega tenía un nudo en la garganta. Haberse dejado arrastrar tan al fondo ayer tarde. Para nada. No había servido para nada. Probablemente Quirós no volvería. Aquel final vergonzoso, las lágrimas, la súplica. Iría a contáserlo a su novia, se reirían de él. Seguramente estaría ya al tanto de todo. Tenía que ser mentira lo de que no le había contado nada. Lo lógico es que Quirós hubiera dado toda clase de pelos y señales. Exagerado, incluso, muchas cosas. Le pareció que llevaba ya en silencio mucho rato y que Hernández se extrañaría de aquel silencio prolongado. Por eso dijo:

—Perdona. Es que hoy estoy cansado, un poco cansado.

—¿Tú eres depresivo? —Hernández se había animado mucho, al parecer, con aquella conversación sobre las gracias de su novela. Ahora esperaba con un aire de atenta avidez la respuesta de Ortega.

—¡Qué sé yo! No. Yo no me considero depresivo. Todos nos sentimos deprimidos a veces.

—Yo es que soy muy depresivo.

—Los depresivos a veces nos deprimen —comentó Ortega por decir algo.

—¿Y yo? ¿Te he deprimido yo alguna vez?

—No, no. Me refiero en general... Todos somos a veces depresivos.

La conversación decaía. Ortega sentía decaer la conversación, como su ánimo, en brazos de un silencio monstruoso, apagado, maloliente, del que sólo nos puede sacar una borrachera, o una droga, un círculo vicioso.

—¿Qué estás leyendo ahora? —oyó decir a Hernández. Hizo un esfuerzo por contestar, como quien se arranca de un sueño angustioso...

—A Angus Wilson. Estoy leyendo a Angus Wilson...

Hernández sonrió inesperadamente. Ortega se frotó los ojos. Encendió un cigarrillo.

—¿Hasta qué hora puedes quedarte? —preguntó Hernández. También ésta era una pregunta ritual de sus entrevistas. Siempre que Hernández preguntaba eso Ortega tenía la impresión de que debería contestar: «No tengo prisa.» Y siempre, avergonzándose, contestaba tras mirar su reloj: «Hasta que nos fumemos el pitillo.»

—Aún tenemos tiempo. Hasta que nos fumemos el pitillo.

—Ayer bebí seguidas cuatro botellas de cerveza —declaró Henández—. Salí de casa y me metí en un bar...

—No te conviene. Con la medicación no te conviene... —murmuró Ortega. También éste era un tema invariable, un tema de finales de la conversación; que anunciaba el final como un treno monótono.

—He hecho el propósito de pasar un año sin beber ni tomar café ni fumar, a partir de mañana.

—¡Hombre, no hace falta que te prives de todo eso a la vez! Mejor ir poco a poco. Con moderación, cortando un poco...

—¿Y si Quirós volviera transformado? ¿Y si, en vez de despreciarle por su confesión, por sus lágrimas, lo de ayer tarde hubiera puesto las cosas en su sitio? ¿Y si aquella sinceridad irreprimible hubiera actuado como un detonante de la dulzura, la ternura? Hay ternura escondida muy abajo, ahogada por costumbres, por prejuicios, por vergüenzas. A veces, si se explota, si se llega a ella, si se saja, florece. Y si florece es el amor, o cosa parecida. Ortega se sentía ahora esperanzado. La angustia se había vuelto ya del todo ahora esperanza. La movediza conciencia, como un suelo arenoso, quería traspasarse de agua fresca, de aire libre, del alto vuelo de las gaviotas que chillan sobre un puerto muy blanco, las soleadas tardes de un otoño marítimo, no lejos de pequeñas tabernas umbrías, consoladoras, cálidas, no lejos de la memoria de los tamarindos, de su verde plumaje salobre... «Estoy desvariando», pensó Ortega mientras pagaba las consumiciones. Los dos salieron a la calle. Otra vez el bochorno. Olía a boca de metro. Se despidieron como siempre. Con la promesa de llamarse

141

pronto por teléfono. Se dieron la mano. Siempre se despedían así.

—Muchas gracias por llamar —dijo Hernández—. Esta tarde estaba un poco mal. Ha significado mucho para mí charlar un rato...

A Ortega se le saltaban las lágrimas de vergüenza. Tomó un taxi hasta su casa.

Quirós le abrió la puerta del taxi.

—¡Vaya lujos que se gasta el señor!

—Ya ves. La mala vida —murmuró Ortega.

—¡La mala vida! ¡Querrás decir la buena!

—¿Cómo es que has venido?

—Pasaba casualmente por aquí y te vi en el taxi. ¡Una pura casualidad!

—¡Venga, venga, déjate de cuentos!

Estaban parados en la acera. No se veía un alma. A Ortega le pareció que Ríos Rosas era una calle de una ciudad extranjera, un lugar cálido de una ciudad agrícola, en la llanura. Todos sus habitantes de espaldas, sin verles, un puro anonimato, dulce como un paseo por un parque umbroso. Y a los lejos, un río no muy ancho, un río rápido, plateado, color verde botella, con pequeñas playas de arena renegrida y pedruscos entre los juncos...

—Bueno, ¿qué? ¿Vamos a subir o nos vamos a quedar aquí toda la tarde? —dijo Quirós. Iba vestido con unos pantalones vaqueros y mocasines rojos. Y una camisa blanca, de mangas anchas, muy de moda, con un dibujo zigzagueante, discontinuo, un aire claro...

—Muchas gracias por venir —dijo Ortega—. Esta tarde estaba un poco mal. Significa mucho para mí...

Subieron en silencio. Quirós sonreía. Eran las seis menos veinticinco de la tarde todavía.

142

—¡A ver qué se nos ocurre hoy! —murmuró, suspiró, sonrió Ortega cuando por fin se sentaron como de costumbre junto a la terraza, abierta la ventana, la corriente cálida de lado a lado del piso que ahora, hundido en su butaca, se le antojaba a Ortega, como un viento constante inflando las cangrejas (velas) de una embarcación imaginaria mar adentro—. Todo es imaginario...

—¿Qué has querido decir con eso?

—¿Con lo que todo es imaginario?

—No, con lo otro. Con lo de a ver qué se nos ocurre hoy...

—Casi no he llegado a decirlo. Lo he gruñido...

—Lo has musitado. Pero se oía claramente...

—Viento en popa a toda vela, como vamos, se nos vuelan las palabras casi...

—¿Qué querías decir?

—No lo sé bien del todo. Se me escapó esa frase... Quería decir que..., pues eso, que a ver qué se nos ocurre. Después de lo de ayer, cada reunión, ¿no te parece?, va a ser un poco así, una ocurrencia... Dependerá de lo que se nos ocurra. ¿No sientes tú un cierto malestar?

—Dependerá de lo que ocurra, aunque no se nos ocurra a nosotros...

—¿Crees tú que no somos dueños de la situación?

—No sé tú. Yo, desde luego, no.

—Yo tampoco —declaró Ortega ingenuamente.

—Me gusta cómo hablas. A veces no te entiendo. Pero me gusta cómo hablas, los líos que armas...

—Yo no armo ningún lío.

—¡Uy que no! Te enrollas más que una persiana.

—Que me enrolle, bueno. Pero no me lío, ¿eh? Lo tengo todo claro...

—Pues a ver, entonces, qué querías decir con lo de a ver qué se nos ocurre...

Ortega sonrió en silencio. Se sentía bien ahora, en su ingenua sala de estar, cruzada por los vientos de la tarde. De abajo, del Canal, subía olor de río y tintineo de álamos plateados. Ortega se acordó de los innumerables gatos que campaban por sus respetos en los matorrales del parque y de la mujer mayor que les llevaba pan y leche en un frasco de mermelada. Sólo uno, pelirrojo, menos arisco que los otros, se salía de la verja, ondulante, y se frotaba contra las piernas de la anciana señora. Una vez Ortega había tratado de trabar conversación con ella, referirse a los gatos. Y no logró sacarla ni una palabra. Ni siquiera le miró. Hablaba a los gatos, una lengua infantil, semiarticulada. Y todos ellos, grandes y pequeños, negros y grises y blanquinegros y tiznados, hacían un semicírculo, guardando las distancias que Ortega se había atrevido a no guardar del todo unos momentos. Ortega había sentido compasión por la anciana. También por los gatos que vivían ahí solos y salvajes, regidos por los ciclos de la luna, por la vehemencia de las estaciones, y le hubiera gustado acariciarlos. A uno, por lo menos. Los había muy pequeños trepando por los árboles. Y se avergonzó de esa ternura que al fin y al cabo era cobarde. Compasión por sí mismos. Los ásperos felinos y la anciana señora, mirándole y no dignándose a charlar con él, le habían puesto en su sitio.

—¿Qué te pasa? ¿No me vas a contestar?

—Perdona. Me estaba acordando de los gatos del Canal de Isabel II...

—¿Qué tienen que ver los gatos?

—Nada. Sólo que me acordaba de ellos ahora. ¿Qué tal tu novia?

—No sé. No la he visto. Supongo que bien.

—Creí que casi todos los días os veíais.

—¡Qué va! Ultimamente no. Te veo más a ti que a ella.

—¡Hombre, eso casi es un cumplido!

—Pues sí, casi.

Otra vez una pausa. Ortega se sentía aletargado, como después de un ataque de nervios, como después de haber tomado un somnífero ligero; en cierto modo alerta y en cierto modo lo contrario. ¿Qué había querido decir con aquella frase inicial? Ortega creyó que ahora de pronto lo sabía.

—No estoy acostumbrado a estar con nadie. Me refiero aquí, en casa. Es una situación nueva para mí. Estimulante. Un poco desconcertante...

—¿No acabas de estar del todo cómodo?

—No. No es eso... —Ortega, visiblemente, titubeaba. Quirós encendió un pitillo.

—¿Estás incómodo conmigo?

—No. No es eso. Me encuentro bien contigo.

—Entonces, ¿qué te pasa?

—Es que no sé seguir. Es eso. No sé seguir...

—A lo mejor por ti lo dejarías...

—¡No! ¡Qué va! Estoy contento de que estés aquí. No te haces ni idea...

—Eso creo yo, que te gusta.

—Pues claro...

—Entonces, ¿qué es lo que no sabes... seguir?

—Pues seguir... —Ortega dejó escapar el aire entre los labios, que vibraron un poco, una expresión de circunstancias.

—Es que... —Quirós fingió elegir (o quizá no es que lo fingiera) cuidadosamente sus palabras— después de lo de ayer, me siento un poco incómodo. Me encuentro a gusto aquí, me encanta venir. Pero a la vez me encuentro un poco raro. Vamos, que no sé bien... o sea, yo esta tarde he venido, llamé al timbre de abajo, no contestabas, pensé, por la hora que era, que tenías que estar en casa, pensé que a lo mejor no querías que subiera, o que estabas con alguien, yo qué sé... Yo, de ti, muchas cosas no las sé. Quién viene aquí, a quién invitas. Por un lado me chocaba, por otro decía habrá ido al cine, se habrá quedado a hacer horas. Y quería verte. La cosa es eso: que a toda costa quería verte. Digo, pues me espero. Ya aparecerá. Llevaba ahí desde las cuatro...

—¡Cuantísimo lo siento!

—No. Si no es eso, si no es que lo sientas, o sea. A mí me da igual. Yo, pues, que hacer, no tengo que hacer nada. Igual me da estar aquí que en otro sitio. Que me extrañaba mucho, eso es lo único... Y luego, cuando bajas del taxi dices no sé qué, que te alegras, ¿no?, de verme. Subimos y saltas con eso de que a ver qué se nos ocurre. ¡O sea, que no lo entiendo...!

Ortega le contemplaba dulcemente. Eran ya casi las nueve. Había aumentado la nubosidad a última hora. El viento era más flojo. Como en calma. El aire era más fresco, en su silencio.

—Cada día, cada vez que nos reunimos, me parece que es hace quince años, como cuando me sentaba ante la máquina de escribir, con los folios en blanco y no se me ocurría nada... No puedo dejar que vuelva a ocurrir eso...

Quirós, en realidad, lo tenía fácil. Con sólo mirar a Ortega fijamente ya cumplía. No se necesitaba *entender* a Ortega porque (todo hay que decirlo) tampoco lo que Ortega decía y su modo de decirlo requerían un interlocutor propiamente dicho. Bastaba con que hubiera como un espejo, un alguien, casi cualquiera. Porque Ortega a fuerza de soliloquios tras quince años de no comunicarse nada más que con sí mismo, a pesar de todos sus esfuerzos de ahora, había perdido la costumbre de ser escuchado y, a la vez, de atender a otra persona. Por eso estaba llena la habitación de reflejos quebrados de lo mismo: todo era identidad, como en las borracheras, la agigantada conciencia del poseso, en pleno don de la ebriedad, reconoce su voz, se reconoce agigantado pero sólo vagamente sabe dónde anda o quién le ve o con quién habla. Todas las formas exteriores se han interiorizado y constituyen partes volubles de una identidad reverberante, capaz incluso de verse con precisión a sí misma pero incapaz de encarnación y, por lo tanto, de variación o de progreso. Por eso, no era del todo injusta la fría y fija mirada con que Quirós contemplaba a Ortega.

Y Ortega se estaba sintiendo (casi inconscientemente) complacido: al haber puesto en relación, mediante la idea de ocurrencia, tanto los impulsos que se necesitan para escribir una página, como aquéllos que precisamos para conducir sensatamente una conversación, una amistad, o nuestras vidas. A Ortega le parecía ahora evidentísimo que la acción creadora de comunicación entre amigos tiene el mismo origen que la acción creadora de· páginas inmortales. Y se detenía, morosamente, en esta idea que le parecía nueva y recién pensada, aunque lo había pensado ya otras veces, y aunque, en sí misma, no sea ninguna novedad.

—Y, bueno —dijo Quirós—, ¿qué se te ocurre ahora? Llevamos ya un buen rato y a ninguno de los dos se nos ha ocurrido gran cosa. No estamos teniendo, me parece a mí, una conversación chispeante...

—No. Desde luego. Pero yo me siento feliz de haber hecho esta conexión entre esas dos clases de concurrencias: la literaria y la humana...

—Pero no tienen por qué ir juntas. Hay gente capaz de hablar como los ángeles, con esa misma brillantez, que sin embargo acaban luego tirándose los trastos a la cabeza. Sinceramente no veo qué tenga que ver lo uno con lo otro. Incluso, diría yo que es al revés: que cuanto más brillantes ocurrencias se tienen en las conversaciones, menos firmes pasos se dan en las amistades. Todo acaba siendo fuegos artificiales, fuegos fatuos...

—Por cierto, tengo que pedirte un favor, me da no sé qué pedirlo, no sé qué vas a pensar... —Ortega tuvo por un instante la sensación incómoda de que Quirós titubeaba adrede y de que fingía no saber cómo expresar directamente algo que tenía pensado y decidido con mucha antelación. Esta sensación, sin embargo, se le deshizo en seguida. Era, al fin y al cabo, una cautela ajena a su exaltado y autocontemplativo estado de ánimo.

—¿Qué me quieres pedir? Si es un favor que yo te pueda hacer, ya está hecho.

—Hombre, poder, puedes hacerlo. Lo que pasa es que me da coraje, después de lo de ayer, pedirte así un favor. No sé si vas a pensar mal de mí.

—Di lo que sea, venga...

—¿Podrías dejarme cinco mil pesetas?

147

—Desde luego. Toma —Ortega se sacó la cartera de atrás y le alcanzó a Quirós dos billetes de dos mil y uno de mil. El gesto de Ortega fue muy rápido, como si la frase «después de lo de ayer» hubiera sido un aguijón. Ortega tenía la sensación, incómoda una vez más, de estar llevando a cabo un acto de incalculables consecuencias cuyo sentido no percibía claramente. No hubiera podido negarse, por supuesto. Era la primera vez. Pero, ¿por qué tenía lugar precisamente hoy, «después de lo de ayer», precisamente ahora?

—Es que... verás, como hace días que no he visto a mi novia... hasta mañana o pasado que nos veamos, no tengo ni para tabaco... Te lo devuelvo mañana...

—No, no te preocupes. Encantado de prestarte ayuda. Hoy está todo por las nubes, el tabaco y todo...

Quirós miró su reloj de pulsera.

—¿Ya te tienes que ir? —Ortega había observado incómodo la manera precipitada y como furtiva con que Quirós miraba su reloj.

—No. Qué va. Todavía es pronto.

—Ya no es tan pronto. Son ya más de las diez...

—Sí. Ya son más de las diez. Voy ya a tener que pensar en ir yéndome.

Ortega se levantó un tanto bruscamente. La situación se había enfriado mucho, congelado y fijado, como si todos los reverberantes espejos que la animaban antes, ahora se hubieran reunido en una sola superficie rosa oscuro, traslúcida, que les reflejaba apenas, y que apenas dejaba ver ninguna luz. Ortega se sentía ahora confuso. Dio un par de pasos por la habitación sin saber qué decir. La verdad es que la única ocurrencia de la tarde había sido un pequeño sablazo. Y que el sablazo viniera acompañado, como una mueca oscura, indefinida y grotesca, de la frase «después de lo de ayer» sólo sirvió para aumentar su melancolía, la oscuridad reinante. Ortega encendió todas las luces de la sala.

—Te van a entrar mosquitos, con la ventana abierta, con todas las luces encendidas... —dijo Quirós.

—Ya. Tienes razón.—murmuró Ortega y apagó todas las luces menos una encima del sillón donde solía sentarse.

—Todavía —añadió Ortega— me voy a quedar a leer un rato.

Acompañó a Quirós al descansillo. Ortega pensaba que no sería capaz de leer ni una letra esta noche. Deseaba acostarse. Tomarse un valium. Dormirse como un tronco.

—Muchas gracias por esto, eh —dijo Quirós ya en el ascensor—. Mañana o pasado mañana te lo devuelvo, cuando vea a mi novia...

—No te preocupes. Cuando puedas. No corre ninguna prisa...

El ascensor descendió lentamente durante largo rato. Cuando Ortega oyó que Quirós llegaba al portal, entró en su casa y cerró la puerta y echó los dos cerrojos. Instintivamente, luego, sacó la cartera y vio que le quedaban mil pesetas y las monedas. Pensó que mañana tendría que sacar un talón. No había contado con aquel imprevisto.

«Después de lo de ayer», repitió Ortega para sus adentros. En su memoria esa frase iba cobrando una iluminación cada vez más violenta a medida que pasaban las horas, durante todo el día siguiente y el siguiente. Por una parte esa frase, al pronunciarla Quirós, enlazaba directamente el desvarío de su anteúltima entrevista con el realismo átono del préstamo de las cinco mil pesetas. Esta conexión añadía a la frase una tonalidad grotesca que Ortega a estas alturas no se atrevía a atribuir del todo ni a Quirós, ni a sí mismo. Era como si la conexión se estableciera por sí sola en la naturaleza de las cosas. Por otra parte, aquella frase había fijado, por decirlo así, lo absurdo de la anteúltima entrevista, no permitía olvidarla, ni tampoco recordarla claramente. Ortega tenía una sensación borrosa de haberse puesto en evidencia o de haber hecho el ridículo sin que quedara del todo claro para sí mismo el cómo o el por qué. Lo único que a Ortega le parecía malignamente relacionado era el hecho de que Quirós parecía haberse sentido alentado a pedirle dinero más o menos por razón de lo ocurrido aquella tarde. Y esto situaba a Quirós a una luz desfavorable. No había nada, pensaba Ortega, impropio en pedir prestado cinco mil pesetas. Pero toda la petición había tenido el carácter equívoco de una licencia que alguien se permite con otra persona por algo que a su vez esa persona se ha permitido antes. Y, como Ortega no podía menos de reconocer, era evidente que Quirós llevaba muchos años ya viviendo de solicitar dinero a su madre y a su novia en situaciones parecidas. Era el dinero lo que había enfriado la situación, dotándola de una crudeza y de una objetividad que, hasta que Quirós no hizo esa petición, la relación no había tenido. Ortega no podía menos de reconocer que le había molestado que Quirós le pidiera dinero. En esto del dinero cada cual es muy singular. Y Ortega, que no era tacaño, era, sin embargo, sumamente cuidadoso con su dinero. No ganaba mucho, no gastaba mucho. Con los años había logrado ir ahorrando un poco. Tenía sus gastos de bolsillo sumamente controlados y no hacía nunca excesos. Prestar así, a mitad de mes, cinco mil pesetas, le alteraba ligeramente el presupuesto. Y dada la manera rutinaria y metódica con que Ortega vivía, esas cinco mil pesetas constituían una falta inolvidable. Este mes de agosto iba a ser el mes de faltar cinco mil pesetas al final. Porque, naturalmente, Ortega no contaba de ninguna manera con que Quirós pudiera devolvérselas. No era un préstamo, era un regalo. Pero era un regalo que Quirós nunca le iba a agradecer. No sólo porque Quirós seguiría hasta el fin de los siglos pensando que aquel dinero tan sólo era prestado, sino también porque al prestarlo Ortega no había tenido voluntad ninguna de regalarlo. Era una situación ligeramente cómica y Ortega advertía su comicidad como advertimos, a veces, la presencia de todos los datos de un problema sin que por eso seamos capaces de resolverlo. El problema está ahí, con sus suficientes datos, sin que nosotros dispongamos de la fórmula capaz de interpretarlos y ordenarlos. La única solución que a Ortega se le ocurría era la de tratar de formar dentro de sí mismo la intención de regalar aquello mismo que le había sido arrebatado a la fuerza. Pero para eso, a juicio de Ortega, se requería un cierto acto, siquiera verbal, realizado ante Quirós. Un decir, por ejemplo: «No hace falta que me lo devuelvas, es un regalo.» Sin ese acto Ortega se sentía ni agradecido ni pagado. Luego en ambos casos, tanto si se convertía en permanente acreedor de Quirós como si, mediante la formulación de dichas palabras, se convertía en su benefactor improvisado, Ortega quedaba en mal lugar ante sí mismo. Y, a su vez, Quirós quedaba también en mal lugar, sumido en el efecto un tanto chusco de toda aquella transacción. Y Ortega se esforzaba por tratar de ver la situación con ojos nuevos sin acabar de lograrlo.

—¿Dónde te has metido?

—¿Dónde te has metido tú?

—¿Yo? En la oficina, como siempre.

—Nunca estás en casa por las noches.

—¿A qué hora llamaste?

—Ni por las tardes. A todas horas. Te he llamado veinte veces...

—¿Para qué llamas tanto? ¿Qué te pasa?

—Hombre, tiene gracia. ¿Que para qué llamo tanto? ¿Tú para qué crees?

—¿A ver, para qué?

—Para quedar para vernos. Hace una semana que no llamas.

—Estoy matada de trabajo.

—Pues ayer te llamé a las doce de la noche y no estabas.

—¿Ayer a las doce? Estaba ya durmiendo.

—Entonces, ¿por qué no cogiste el teléfono?

—¿Durmiendo? ¿Quieres que coja el teléfono durmiendo?

151

—Te tuvo que despertar. Lo dejé sonando diez minutos, no sé cuánto tiempo.

—Puse un almohadón encima y me tomé un valium. ¿Tú cómo crees que duermo yo? Y me puse tapones de cera en las orejas como el marqués de Urquijo...

La voz de Cristina sonaba fría y firme, una voz de uñas pintadas e incalculables caprichos. Un aire guasón como si la sonrisa de Cristina fuera un dato acústico capaz de ser transmitido por teléfono. Quirós se sintió ridículo.

—Nunca has tenido que tomar somníferos.

—¿Cómo que no? De toda la vida... Tú es que sólo piensas en ti mismo, guapo. No me miras dormir. Siempre un instante antes de acostarme tomo un vaso de agua y una píldora. Pero no la anticonceptiva, majo, no. Esa es a otra hora...

—¿Cuándo vamos a vernos?

—Cualquier día excepto hoy y mañana. Pasado tampoco.

—Pues me lo pones fácil...

—¿Qué tal tu amigo?

—¿Qué amigo?

—El escritor, ¿quién va a ser? No tienes tantos amigos.

—Te encanta decir eso, ¿eh?

—Es la verdad. Tú no eres de amigos...

—No te llamo para pedirte nada, es sólo por hablar un poco...

—Pues créeme que lo siento. Prefiero que me llames para pedirme pasta. Estás más natural...

—¿Me puedes prestar cinco mil pesetas?

—¡Cómo no, no faltaba más! ¿Quieres que te mande un giro?

—¿Con quién estás saliendo?

La carcajada de Cristina se le coló oído adentro, como la gélida pulsación de un ataque de envidia. Quirós pensó: «Es la primera vez que siento esto: envidia de Cristina.»

—¡Qué suerte tienes! —murmuró.

—¿Cómo dices?

—Que me gustaría ser como tú.

—¿De verdad necesitas cinco mil pesetas?

—¡Qué más da que sea de verdad o no! ¿No dices que te gusta que te pida dinero?

—Pásate por aquí esta tarde. Después de las siete.

—Estás saliendo con alguien...

—Pásate por aquí a las siete, a las ocho, mejor. Y ya hablamos.

—¿A que estás saliendo con alguien?

—Pero bueno, ¿qué es esto? —la guasa aumentaba de volumen como una melodía popular en una radio, en un bar ruidoso. Quirós tenía la sensación de estar hablando con Cristina a través de un medio espeso, poblado de significados que se hacían y se deshacían a gran velocidad, estrepitosamente. ¿Sentía celos? ¿O era sólo malestar? Una indefinida sensación de malestar, un mareo. Volvió a oír la voz de Cristina, impersonal, embozada. Como si le hablara a través de una máscara en un baile de disfraces—: ¿Estás celoso? No me vengas ahora con que tienes celos...

—Lo único que sé es que estás muy rara. No tengo celos ni dejo de tenerlos. Me gustaría saber qué te pasa...

—Ven esta tarde a las siete, a las ocho mejor dicho...

—¿A las siete o a las ocho?

—Hacia las ocho. Tú, como no tienes nada que hacer en todo el día, no te das cuenta de lo que es empezar a trabajar a las ocho de la mañana y terminar a las tantas de la tarde...

—Antes también trabajabas esas horas.

—Ven a las ocho, anda, ven a las ocho, me llaman por el otro teléfono ahora...

Cristina le había dejado con la palabra en la boca. Quirós se imaginó la luminosa oficina, en los pisos altos del Windsor. Las plantas de interior, los muebles extraplanos, blancos. Las máquinas de escribir eléctricas, extrasilenciosas. Las moquetas. Los ejecutivos repeinados. Las cafeterías de la calle de Orense. La sensación de poder. Las catorce pagas. Los extras. Las vacaciones pagadas. Los incomprensibles negocios. Las conferencias telefónicas internacionales. Un bienestar agresivo. Un sitio convencional. Una vulgar secretaria que se permitía el lujo de tenerle a él, a Quirós, atado de una cuerda y colgarle el teléfono, avergonzarle.

Sintió envidia. Era un sentimiento tan punzante, tan absoluto y tan difuso, que apenas se reconocía. Una indefinida tristeza, como neblina, que lo mezclaba todo, lo igualaba todo, como la música ambiental, el hilo musical que podía oírse mientras hablaba con Cristina, igualaba todas las melodías. Un ritmo único, distanciante. Un envenenamiento color rosa, extraplano. Como nos llega una vaharada de olor de un restaurante en una calle, le asaltó el deseo sexual, como un mal pronto, una intención de herir y vengarse que, a la vez, vista desde dentro, tenía un sabor a lágrimas autocompasivas. Una erección insuficiente. Una blanda omnipresente erección de deseo y aborrecimiento.

—¿Has terminado ya, hijo?
—Sí.
Su madre, que había entrado y salido dos veces de la sala mientras Quirós hablaba con Cristina, se sentó ahora frente a él.
—Que digo que Luis quiere conocerte...
—Ah, pues muy bien.
—Es que quería ver si lo podíamos arreglar para comer juntos mañana en California, ahí en la Gran Vía, en el antiguo, ¿sabes?
—Desde luego.
—¿Entonces le digo a Luis que sí que puedes?
—Desde luego.
—Es que lo natural es que os conozcáis ya, que cambiéis impresiones. Que conozcas también a los niños...
—A los niños también, ¿eh?
—Sí, claro. Es lo natural.
—Pues muy bien. Pues mañana —concluyó Quirós. Se levantó. La placidez de su madre le irritaba como un globo que se hincha, que puede reventar en cualquier momento. Se fue hacia

154

la puerta. Desde la puerta dijo—: Y no dejes de avisarme, ¿eh, mamá?, con cierta anticipación, unos pocos días siquiera, cuándo tengo que irme...

—Pero claro, hijo, pero claro, ¿cómo no te vamos a avisar...?

Quirós salió de la habitación dando un portazo. «Tengo que tranquilizarme», pensaba al salir a la calle, mientras bajaba Hortaleza abajo hacia la Plaza de Santa Bárbara. Caminaba apresuradamente. Le corría el sudor por la espalda. «No me siento a gusto. Estoy a disgusto en todas partes...» Era una melodía obsesionante. Un malestar obsesionante. Como un deseo sexual insatisfecho. Como un no poderse satisfacer aunque se quiera y aunque se pueda y aunque se satisfaga. «Tengo que salir de esto.» Al llegar a la Plaza de Santa Bárbara, pensó tomarse una cerveza en la cervecería... Le quedaban quinientas pesetas de lo de Ortega. «No podemos seguir así, Cristina —iba preparando mentalmente lo que luego no se atrevería a decir a Cristina cara a cara—. Cada vez estoy más hundido. Me echan de mi casa. Tú me tratas cada vez peor. Me siento viejo, acabado. Con veinticinco años y soy ya una mierda. ¿Tú crees que se puede tratar así a alguien? ¿Tú crees que se puede ir como voy yo por las calles, hablando solo, sintiéndome una mierda? Hay días que no tengo ni para tomar una cerveza. No sirvo para nada...» Tenía que ocurrir algo, pensó Quirós. Pensó que, de alguna manera, las circunstancias cambiarían, por fuerza tenían que cambiar. Volverse más fecundas. Resultaba inaceptable verse a su edad trancado en aquella habitación de su impotencia, de su incapacidad de disfrutar y de sentirse vivo. Entre todos iban poco a poco asfixiándole. Y una vez más ahora, se acordó de Ortega como de un recurso fácil que no le humillaba y que le salvaba dulcemente. Y volvió a sentir cariño por Ortega, una especie de hambre, una voracidad, difusa como la sexualidad. Volverían a hablarlo todo otra vez. Se quedaría en su casa durante toda aquella estúpida luna de miel. Quizá más tiempo. Todo el que fuera necesario. Se vengaría. O mejor, no: no haría falta ni eso. Al fin y al cabo, Ortega le necesitaba. Entró en el kiosko de la Plaza de Santa Bárbara y

155

pidió un sol y sombra. Y luego otro. Eran las dos de la tarde. No había desayundo. No sentía ningún hambre. La mezcla le hizo sentirse bien, muy bien, enseguida. «¿Cuánto es?», preguntó. «Son ciento veinte pesetas.» «Póngame otro. ¿Me hace usted el favor, qué hora tiene?» «Van a ser las dos —contestó un señor mayor a su lado—. Se va usted a destrozar el estómago bebiendo todo eso así sin nada.» Aún faltaban dos horas para llamar a Ortega. Y para verle. «Esto sienta bien», dijo Quirós. «No sé, así tan seguidos...», dijo el caballero. «Así me emborracho antes», dijo Quirós. «¿Para qué quiere usted emborracharse así?» «Eso es cosa mía, ¿no?» «Hombre ya. A ver si usted me entiende, yo no es que quiera meterme en su vida. Pero es que por la edad podría ser su padre. Me da pena verle emborrachándose, tan joven...» «Es la vida, la vida me trae a mal traer», dijo Quirós. Iba ya por el cuarto sol y sombra. La conversación le había parecido brillante. Un poco como una conversación en un tango. Un intercambio porteño, de hombre a hombre, ante la fatalidad. La fatalidad tenía forma de glorieta calurosa. Eran vivos los colores de los trajes, los rostros, los kioskos de periódicos y de flores. Una ciudad extranjera. Con sólo dos direcciones donde ir, dos conocidos. Y sentirse deseado. Un chico joven, solo en Buenos Aires, en busca de aventuras. Alonso Martínez olía a puerto, a mediodía destelleante. El pasado y el futuro concluían aquí en plena glorieta, resonantes, sin fallos, sin errores. «Para decirle la verdad, me tomaría con gusto otra copita, si usted me convidara.» «No fataba más. Chico, ponle otra copa aquí al señor.» «Otra vez lo mismo.» «Me mamo bien mamao...» Quirós sonrió. «Muchas gracias, ¿eh?» «De nada, hombre, de nada. Pero ándese con cuidado, que todavía sólo son las dos de la tarde...»

Se abarrotó el kiosko. El caballero de la tercera edad se había ido, borrado del arenoso espacio de la mirada repleto ahora de chicos y de chicas de la edad de Quirós, de colorines. «Son señoritos éstos —pensó Quirós—. Niños bien de septiembre que almuerzan de dos y media a tres, que viven por aquí, por Zurbarán, por Monte Esquinza...»

—¡Etcéteras! —dijo Quirós en voz alta. Un par de tipos fuertes, con la camisa abierta, marbellíes, recién tostados, idénticos, procedentes de un guapo anonimato, una insulsa película de jóvenes españoles de alta y baja clase media, le miraron.

—¿A éste qué le pasa?

—¡Yo qué sé, joder!

—¿Qué te pasa, tío?

—¡Yo qué sé, joder! —repitió Quirós, ladeados un poco el cuerpo y la cabeza a la derecha—. He dicho etcéteras, ¿pasa algo?

—¡Ah, que ha dicho etcéteras!

—Pues vale.

—¿Qué os pasa? —preguntó una niña bien recién llegada. El grupo se había abierto como en dos filas, con Quirós al fondo. Quirós sonrió.

—Con permiso —dijo. Y salió lentamente por en medio, como el astro, pensaba, sin prisa pero sin pausa, con el tumbao, sonreía, que tienen los guapos al caminar... Volvió a sonreír una vez más en la calle. Se apoyó en la barandilla del metro. La cabeza contra el plano-guía de Madrid, pensando: «Por Almagro. Voy a ir andando por Almagro, hasta Rubén Darío, sí señor. Me siento como Dios...» Y era verdad que estaba guapo. El también marbellí, él también procedente del bello anonimato de la picante juventud insípida, con sus cuerpos en pompa, al aire sus encantos... Un poco emborrachada también toda la edad de verse en los periódicos, anunciada, cantada y trajeada por Adolfo Domínguez en todo el universo... Y se sentía Quirós, pensando más o menos esto mismo, más sabio que ninguno, igual de guapo y más inteligente: «ahí está la gracia: que la belleza iguale y el talento distinga. Se puede ser más inteligente que la mayoría. Pero un guapo más guapo que todos los demás resultaría un chico repulsivo. La belleza física es genérica...» Y atraía, en aquel estado, a las dos y cuarto de la tarde, en aquel sitio, Quirós muchas miradas. Y él las recogía, se empapaba de ellas como una dulce esponja de colores. Se sentía limpio, envuelto en la calima melodiosa, sudoroso de encantos respirables, aureolado por la erección difusa de su media trompa, como todos. Incomparable a la vez que exactamente igual que todos ellos. «Y así —pensó— esconderse en la insurgente fronda de los jóvenes; sus delirios, los míos. Sólo que yo, al final, al cabo de dos horas, entraré en relación con lo inseguro, lo incierto, lo perverso, lo único, idénticamente igual que todos los demás. Y a la vez muy distinto. Esa es la gracia.»

Iba andando Almagro adelante, por la izquierda. En la tienda de la manzana que hace esquina con Zurbano, se detuvo a ver las lámparas, los sillones, apoyó la cabeza en el cristal, al fondo de la tienda había sentadas tres personas, en corro, como en el saloncito de su casa, de tertulia elegante. «¿Me estarán viendo?», Quirós les saludó con la mano derecha. No se movieron. «Serán los figurines», pensó Quirós. «En la vitrina estábamos muy cerca de la muerte ecuménica nosotros dos», recordó haber leído en algún sitio. Y siguió andando: «Esta población vigorosa que cubre los restos de mi corazón hecha toda de hojas ociosas muy bellas...» Se sentía lleno de palabras, de oraciones enormes que acababan en glorietas de vidrio y de fuentes. Al llegar a Rafael Calvo, torció a la izquierda en busca de una tasca. Encontró una acogedora, ruidosa y marrón, como en provincias. «Una caña de vino tinto...», pidió, por favor. Se sentía educado, delgado, acostumbrado a entrar y salir de muchos sitios, a ser tenido en cuenta. Eran ya las tres. Se bebió el vino. Salió a la calle. Iba derecho Zurbano adelante hacia Abascal. Y Abascal arriba después hasta Modesto Lafuente, hasta Ríos Rosas. Y en Ríos Rosas torció a la izquierda hacia el Canal, hacia Ortega. Caminaba deprisa, se sentía grandioso, dulce, enmarañado, capaz de todo, tierno como un cordero, sencillo como una paloma, astuto como una serpiente. Llegó al portal de Ortega a las cuatro en punto.

—Estás un poco... bebido, ¿no?

—Un poquito...

—¿Y cómo es eso?

—Ya ves...

—¡Pero hombre!, ¿has comido algo?

—No tengo ganas...

—Deberías comer algo. Te voy a hacer un bocadillo, ¿eh? ¿Qué tal? De queso.

—Un poquito de queso me apetece...

—Siéntate que ahora vuelvo. Voy a ver qué hay en la cocina...

—Un poco de queso nada más. No tengo hambre. Está esto muy cambiado.

—¿Que está muy cambiado? ¿Esta habitación? —Ortega sonreía, a medio camino entre Quirós y la cocina. También él se sentía satisfecho aquella tarde. En la penumbra de su cálido séptimo, recorrido por el aire móvil de la sabia corriente del patio a la terraza. No encontró pan. Pero sí un cuarterón de queso manchego, de corteza negra. Vació un molde entero de cubos de hielo en una jarra. Se tomarían un whisky. Sentía la boca un poco seca y se quitó la camisa. «¿Y por qué no?», pensó. Al volver, el aire iba y venía por su piel urbana, refrescándole, encendiéndole de alegría marítima, amapolas e imágenes en las paredes cambiantes, en las leves hileras de los libros...

—Vamos a tomarnos un whisky —dijo Ortega.

—¡Hombre, eso está muy bien!

—Pero come algo, eh, come algo...

159

—Un poquito de queso sí que me apetece... y un whisquito...

—No sé si deberías...

—¿Cómo que no? ¡Claro que debo! Y tú también. Los dos debemos...

—Ni sé si deberías... beber más...

—¡Pues claro que sí! ¿Por qué no?

—Pero, ¿por qué? —preguntó Ortega, que se sentía arrastrado por olas de sí mismo y que todavía conservaba una cierta racionalidad mendicante. Suficiente, con no ser gran cosa, todavía. Pero que íbase enredando en la giratoria peonza veleidosa del delirio ajeno con dulzura. Ahora todo era dulzura. Como si todo ahora fuese en el principio, como si nada de lo pasado, sospechado, temido, fuera cierto. No había más certeza que el atardecer, que el caer, el ambarino ángel de la guarda *on the rocks*. No se podía tardar, no se podía demorar aquello, lo que fuese. Que no era vergonzoso, sino claro, como una luna llena entre los árboles, una quietud umbrosa, como el cuerpo que crecía. Porque, tras el primer trago, crecía el cuerpo, los dedos de las manos y los pies, las piernas y las ingles se ensanchaban. Ortega conservaba todavía una memoria firme de la *res extensa*, las cosas exteriores, la oficina. Y esa memoria le servía de apoyo. Por eso dijo:

—Quiero decir que a qué viene este emborracharte repentinamente a las tres de la tarde, así sin ton ni son...

—Te advierto —tartajeó Quirós— que borracho, o sea, completamente, no estoy trompa... Estoy bebido, lo cual es muy distinto, un respeto...

—Pero crío, chiquillo, si a mí me da lo mismo, si estamos igual todos todo el tiempo, como en sueños, ¿no me ves a mí?

—Te veo doble...

—Estás fingiendo —pronunció Ortega con cuidado— haber bebido más de lo que realmente has bebido.

—¿Fingiendo? ¿Para qué coño voy a fingir yo nada? ¡Qué más da! Siéntate aquí conmigo, tío, majete, ven que hablemos. Tenemos que hablar tú y yo muchísimo, compañero del alma, compañero... Estás desnudo, joder, si estás sudando. ¿Dónde has echado la camisa? Estás en cueros vivos. Voy yo también a quitar me la camisa, ¿eh? ¿Cómo lo ves?

—Te veo muy hermoso...

—Engarlitándome, oye, engarlitándome estás, no me lo niegues. No hay nada en este mundo como un whisky en su punto para hacernos... No sé qué estoy diciendo...

—Pero, ¿qué te ha pasado? ¿Dímelo? ¿Dime qué te ha pasado?

—¿A quién? ¿A mí? ¿Es que no estás a gusto? Vaya si estás a gusto. Estás a gusto, tío, estás a gusto. Olvídate de todo...

Ortega bebió otro trago. Trató de analizar sus emociones. El ardiente sabor que en la garganta brotaba y florecía como un eco. Trató de decir eso: de decirlo. Pensó: «Si lograra, ahora, si lograra romper esta frontera, este delirio e ir punto por punto, palabra por palabra pronunciándolo, no caería la tarde sobre mí tan velozmente y sería libre. Pero no puedo pronunciarlo. Sólo beberlo y serlo, el desatino...»

—Te quiero —murmuró Ortega.

—De eso nada. Te gusto, eso sí. O sea, *inter nos*, lo tuyo lleva años decidirte, que por fin conmigo, pues te arrancas, vale. Una chispita más, que estoy seco, sin hielo, sin hielo...

—Antes de que sigamos...

—Prosigamos...

—¿Por qué no te vas al cuarto, a mi cuarto, te echas una siesta?

—Una leche. ¿Qué crees? ¿Que estoy borracho? Una leche. Eso quisieras tú...

«Sería absurdo, después de tantos años, después de haber cesado en mí la vida y los sentidos, entrar ahora en esta trampa fácil y vulgar, y no querer salir sino adentrarme y no querer ganar, sino perder, perderlo todo de una vez. El ha bebido, yo no. El tiene disculpa, yo no. Cuando ambos despertemos, yo pagaré la cuenta, y eso es todo», pensó Ortega.

Y contempló a Quirós tumbado, sin camisa, con la sonrisa boba de los beodos. Después de tantos años.

Ortega recorrió las hileras de libros que tapizaban las paredes. La familiaridad de la estancia le pareció de pronto una acusación. Como si aquella polvorienta fisonomía, desolada, estival, de su vida cotidiana, se avergonzara ahora de esta nueva fisonomía ebria y sin camisa, asomada a un erotismo que Ortega creía haber tranquilizado del todo. Se daba cuenta de que la necesidad de seguir bebiendo era sencillamente uno de los disfraces del pudor que ahora le resecaba la garganta y le hacía sentirse extraño, como hinchado y descubierto, en el centro mismo de su cuarto de estar. Quirós tenía los ojos cerrados y, por un momento, deseó Ortega que se hubiese dormido, poder parar aquel mecanismo casi onírico que encadenaba, más que las palabras, los gestos y los movimientos de ambos, en una secuencia voluptuosa que, a la vez, fascinaba y aterraba a Ortega. A la vez le exaltaba y le cohibía. Quirós se movió un poco y abrió los ojos.

—Está bonita esta habitación ahora. Siempre he querido tener un cuarto así, con una puerta secreta. Un interior donde no pueda entrar nadie más que yo. Un sitio que sólo yo conozco. Y esta habitación es ésta...

—Esta es tu casa ahora, si tú quieres... —dijo Ortega casi mecánicamente. Como una observación indiscreta que alguien hace en una reunión y que de pronto destella bruscamente y se hace el silencio. Los dos guardaron silencio.

—¿Lo dices en serio? —dijo Quirós—. No creo que lo digas en serio... Estamos dando vueltas a lo mismo, todo esto ya lo hemos dicho antes. A veces tiene gracia dar vueltas a lo mismo. Yo me encuentro bien. ¿No te encuentras tú bien también?

Ortega apuró de un trago el whisky que le quedaba. Estaba empapado de sudor y pensó que le sentaría bien una ducha fría. Pensó: «Tengo que decir algo.»

—No podemos —dijo Ortega— retroceder ni seguir. Yo no quería llegar a esto. Es demasiado obvio. Demasiado violento. No estoy en condiciones, después de tantos años, de retroceder ni de seguir...

—Así es el destino. Es la llamada del destino...

—¿Por qué has bebido tanto esta tarde?

—Porque sí. ¿Por qué no? Me sentía inseguro. Tenía gana de venir aquí y sentarme aquí tranquilamente contigo, seguir bebiendo... Es agradable, si hay confianza...

—Desde luego...

—En una cosa —tartajeó Quirós, como si un nuevo acceso de ocurrencias le entorpeciera la expresión—, en una cosa tienes toda la razón: no estamos yendo hacia ninguna parte. Ni adelante ni atrás. Aquí los dos inmóviles. Fascinados, mirándonos. ¿Por qué me miras tanto?

—No hay nadie más. Estamos solos. ¿A quién voy a mirar?

—Me siento un poco raro, cohibido. Me gustaría seguir así toda la tarde y toda la noche, cohibido... Es fascinante verte ahí de pie mirándome como un animal doméstico, como un gran perro fiel y dócil. Tienes ojos de perro...

—Hubiéramos debido no empezar...

—¿Te arrepientes de algo?

—No lo sé. No ha sucedido nada, al fin y al cabo...

—Tiene gracia alargar esto, que no suceda nada. Lo estás pasando tú peor que yo...

—Es la primera vez en muchos años —murmuró Ortega.

—¿La primera vez de qué?

—De esto. En muchos años.

—Alguna vez tiene que ser la primera. Eres mi único amigo. Tengo confianza en ti. ¿Qué sería de mí sin esta casa? Toda esta tarde, toda junta, desde que salí de casa hasta ahora y hasta luego, hasta lo que venga, es un instante separable... Estamos solos, no somos del todo responsables. Tú sientes curiosidad y yo también. ¿A qué esperas?

—Me voy a dar un remojón. Hace mucho calor...

—Me haces gracia. Te veo ir y venir dentro de una jaula, relampagueando como un animal detrás de un cristal, detrás de los barrotes de una jaula. Nunca había visto nada igual. Yo mismo me veo a mí mismo provocándote, provocándome, siendo los dos figuras que resbalan en el más absoluto anonimato, la más absoluta falta de consecuencias. ¡Venga, hombre, siéntate aquí conmigo, hagamos lo que hagamos no tendrá consecuencias!

—Ya se te va pasando, cuando llegaste estabas más bebido...
—murmuró Ortega, que había acercado una silla al sillón de Quirós. Se rozaban las rodillas. Hubieran podido abrazarse con sólo adelantar los brazos un poco. Ortega había vuelto a rellenar su vaso y el de Quirós. El hielo se deshacía en la jarra. Ortega bebió un trago de agua directamente de la jarra.

—¿Por qué lo dices? —Quirós extendió sus largas piernas por entre los barrotes de la silla. Apoyó la cabeza, la mejilla, en el puño de la mano izquierda.

—Porque no parece que estés ya bebido. Estás hablando normalmente...

—Estoy disimulando, ¿no lo ves? Es la clarividencia del alcohol, se va y se viene, un estado beatífico del alma: su apariencia de sobriedad... —Quirós, mientras hablaba, había apoyado ambas manos en las rodillas de Ortega, un poco separadas. Ortega sentía la presión de los dedos como insubordinación, como alarma. Bebió otro trago de whisky.

—El atardecer... —murmuró Ortega.

—¿Qué le pasa al atardecer, majete? Te veo transfigurado. Estás guapo sin camisa...

—Es una ilusión, un error, toda esta ternura, el atardecer, es ficticia...

Quirós abría y cerraba las piernas de Ortega lentamente.

—¿Quién es el seductor? —preguntó Quirós.

164

—Tú.

—De eso nada. Si quieres lo dejamos.

—Entonces, yo.

—Eso sí.

—Es una palabra desagradable... Seducción. Una mariconada.

—¿Qué más da la palabra?

—Dejé de escribir hace quince años. No tengo nada que decir.

—No hace falta decir nada.

—Se lo contarás a tu novia.

—¿Qué tiene que ver mi novia?

—No sé, tú sabrás. No me acuerdo de lo que he dicho...

—Yo sí, de todo. Has sido indiscreto, muy indiscreto. Eso se paga.

—Es imposible que recuerdes todo lo que he dicho...

—Todo, todo...

—Es imposible recordarlo todo.

—En este caso no. Son vulgaridades. Todos decimos más o menos lo mismo.

—Deberías haberme interrumpido, haberte ido...

—¿Por qué? Era gracioso verte, estimulante...

—Es ridículo...

—No te preocupes por nada. No ha sucedido nada. Estamos como al principio...

Ortega se dejó caer de rodillas. Sujetó la cintura de Quirós con las dos manos. Se abrazó a la cintura de Quirós. Le acariciaba el pecho con la mano derecha, yendo y viniendo los dedos entreabiertos, débilmente, por la configuración de las costillas, los músculos, hasta los hombros...

—Escúchame —gimió Ortega—. No sé qué es la felicidad. No tengo la más mínima experiencia. Y sólo conciencias excepcionales experimentan alguna vez una sombra de felicidad restringida, yo nunca, nunca... Cualquier imbécil, en cambio, con sólo ir y volver de la oficina a su casa puede tener una experiencia infinitamente precisa de la miseria, el infierno. Yo la tengo. Es la única que tengo...

Quirós se desabrochó el cinturón. Recogió las piernas. Se quitó los zapatos. Sonreía.

—Nunca he conocido a nadie como tú. Me gusta cómo te enrollas. Como un cura...

Ortega seguía de rodillas. Abrazado ahora a las piernas de Quirós. Quirós se puso en pie. Descalzo. Ortega le besaba los pies. Se agarraba a los tobillos, apretándolos. Había una luz difusa, verde o rosa. Una cerrazón fehaciente. Poderdante. ¿Qué hora sería? Quirós dejó caer los pantalones. No llevaba calzoncillos. Se sentía joven. Se acordaba de Cristina y de su madre, allá al otro lado del mundo, torpes y miserables. Ortega le había soltado los tobillos y le sujetaba ahora, de nuevo, las caderas. La cara de Ortega quedaba a la altura del pene de Quirós.

—Chúpamela, si quieres —dijo Quirós. Y él mismo le metió la verga en la boca, casi ahogándole. Quirós pensó: «Tiene gracia.»

Ortega se despertó a las seis con la boca seca, con dolor de cabeza. Con Quirós desnudo, durmiendo de espaldas en la cama. Cabían los dos de sobra. Ortega recordaba haber llorado, haberse comido entre los dos el queso, haber abierto una lata de sardinas, haber terminado la botella de whisky, haber dejado otra mediada. No haberle dado por el culo. Quirós no se dejó. Y, en realidad, Ortega no podía. Después de la mamada, todo se disolvió para Ortega en besos infantiles, en dulzuras opacas, exhumadas de un cuerpo dubitante —el suyo—, sobrecogido, casi ausente. Con el sabor del semen en la boca, los dedos pegajosos, quiso masturbarse y no podía. Se masturbó ahora ferozmente. Rígido junto a Quirós, sin atreverse a rozarle. Aún no amanecía. Fue al cuarto de baño y se lavó con una toalla húmeda para no hacer ruido con el agua de la ducha. Se sentó en la sala, ya vestido, a esperar la hora de ir a la oficina. Quirós seguía durmiendo cuando Ortega dejó el piso a las siete y media. Entró en una cafetería a tomar un café. Y sentía hambre. Desayunó dos veces. Encendió un pitillo mientras caminaba a paso largo Ríos Rosas abajo. Ahora se sentía dichoso. Entre la precisión del nuevo día, las gentes que iban y venían. La calle siempre fértil como un río, un relato. Logró concentrarse en la oficina. Se sentía animado, iluminado. No sentía —como había temido nada más despertar— ningún remordimiento y, ni siquiera, ningún miedo al futuro. Todo, hasta que llegó la hora de irse, a las tres, era tranquilo, coherente y profundo como una narración bien terminada.

«Todo lo cual, Charito —repitió doña Teresa por cuarta o o quinta vez—, me está trayendo a mal traer; por la calle, pues sí, de la amargura. Te parecerá una tontería. No me digas que-no-que-no, porque es que-sí-que-sí. Te parecerá una tontería pero a mí me trae a mal traer. Ha telefoneado Luis y dice que hasta noviembre que no hay salones. Y yo ya me había hecho la ilusión y en otro sitio ya no quiero. ¿Cómo que por qué me pongo así? Pues porque todo lo retrasa. ¿Cómo que no? Más de un mes. Lo retrasa todo más de un mes. Y nos plantamos en noviembre. Y yo, a ver, y él, a ver, los dos viudos, los dos con flores a La Elipa. ¿Qué por qué a La Elipa? ¡Porque la Almudena está en La Elipa! ¡Qué tendrá que ver que un primo hermano tuyo se haya comprado un piso así en La Elipa! Que, por cierto, es un segundo, ya te dije yo que no se lo comprara, ése es un barrio gafe, un barrio gafe, justo detrás del cementerio, lo que es tapia con tapia. Y luego la M-30... ¡Ah, claro que es encantador tu primo! ¿Qué tiene que ver que él sea encantador? Teniendo como tenía la otra posibilidad, lo de Alcalá de Henares, mucho mejor piso, mucho más amplio, muchísimo más fresco, con una terracita... Y es que, mira, Luis y yo tenemos ya gana de estar solos, como Dios manda, los dos solos en el pisito de Hortaleza... ¿Que qué voy a hacer con las invitaciones? ¡Ah, pues no invitar a nadie! Y es que por otro lado te advierto que me alegro. Le Petit París, las cosas como son, era carísimo. Primero lo que cuesta, lo que sale, eso lo primero, que nos ponemos en cuatrocientas mil pesetas como nada. ¡Y luego a ver lo que nos queda! Porque la gente, ya se sabe. ¡Y eso de que se pagan el cubierto, pues según! ¡Igual se piensan que a nuestra edad nos sobra pasta y van y nos regalan la olla exprés, o los ceniceritos con refrán, o un florerito de cristal pelao! Mira, no. Descartado, descartado, descartado. Y, Chari, a ti luego, después, te convidamos a una mariscada, a ti solita. Contigo lo que quieras. Y ahí nos empimplamos lo que más te guste. Ahora, yo, dar de comer al hambriento, pues que no, hija, que no, las cosas como son, y en las bodas se cuela mucho hambriento. Y luego es que es el tiempo, que es que nos plantamos en noviembre. Yo se lo tengo dicho a Luis: mira Luis, yo es que en noviembre no me caso, si es en noviembre, ya entonces lo dejamos para mayo. Y eso él no quiere ni oír hablar, no quiere ni oír hablar... ¿Que qué vamos a hacer? Pues nada, pues casarnos, un par de testigos, el mismo sacristán, se dan unas propinas y a casita que llueve. Y luego tú si quieres lo que quieras. Lo tuyo, eso es distinto...»

Era la una de la tarde. Quirós llevaba oyendo este monólogo telefónico desde las doce o antes. No dormía cuando Ortega se fue a la oficina. Fingía dormir, acurrucado. Le había visto moverse cuidadosamente por la habitación, en calzoncillos, como un ectoplasma. Le había sentido masturbarse, tardando mucho, sacudiéndose como un endemoniado, sin rozarle. Cuando Ortega se fue, se había vuelto a dormir hasta las nueve. Luego se había duchado; había haraganeado por la casa envuelto en una toalla; se había divertido registrándolo todo, todos los cajones, los armarios, en busca de secretos, de cartas, de fotos, de misterios, incluso de dinero. Y no es que tuviera intención de robar nada. Sólo curiosear. Pero no había misterios. Ni dinero. Sólo huellas de

Ortega, solitarias, sus objetos de uso personal. El peine, el cepillo de dientes, la brocha de afeitar todavía húmeda, la toalla calada y escurrida colgando del toallero; y en el dormitorio, en el armario, los tres o cuatro deslucidos trajes, las camisas anónimas casi iguales, los calzoncillos, los pañuelos, los calcetines grises y granates, una media docena. Aura sosa de un ausente cualquiera que Quirós, sólo mediante un esfuerzo reflexivo de la voluntad y la atención, había logrado rellenar vagamente con Ortega, como quien colorea, un poco al buen tun-tún, un castillo y un prado y un labriego y una vaca en un dibujo para niños. Era como si la casa hubiera sido abandonada. Casi como la habitación de un hotel. Como si Ortega fuera un simple viajero, ligeramente presente todavía, pendiente del olvido, un monótono dato que se achica y se borra. Era curioso: tumbado ahora en la cama, Quirós no se recordaba a sí mismo ebrio la tarde anterior, sino, durante todo el tiempo, lúcido. Tanto como ahora. Y reconocía Quirós ahora una abstracta ternura como un dato voluble que, naciéndole del cuerpo, se alejaba y volvía, le ponía en contacto con fantasmas. Ortega era un fantasma. Y no lograba Quirós salir de ahí; todo se repetía varias veces; los sentimientos, calcos unos de otros; ni siquiera plurales. Como una prolongación de su niñez, su adolescencia, su pereza de adulto que vive de prestado, sin problemas.

La voz de su madre, al callarse, al colgar el teléfono, le hizo levantarse de la cama, vestirse. Y entonces recordó que había quedado ayer por la mañana en ir a ver a Cristina a su casa, por la tarde, a las ocho y que, entre la borrachera y la mamada, no había ido.

Y entonces recordó que había quedado con su madre en encontrarse con Luis para almorzar los tres en California.

Tuvo que esperar otra hora más a que su madre se arreglara. Entraron en California los dos juntos. Luis les esperaba en la barra. Representaba unos cincuenta años. Con todo el pelo blanco, ondulado y fuerte. De la estatura de Quirós. Una cara ancha, carnosa, rojiza. Con su traje claro de verano y su corbata de seda con un pasador de damasquino, ancho. Un anillo grueso en el meñique, un reloj de oro. Un apoderado inconfundible. Bajaron los tres al comedor de abajo. Doña Teresa y Luis en el sillón contra la pared. Hacían buena pareja. Quirós enfrente. La camarera les conocía de otras veces. Daban la impresión de llevar casados muchos años, tan acoplados se movían. Los dos pidieron el plato número diez y una cerveza. Los dos dijeron: «Un poquito de pisto con el filete empanado, nos encanta.» Quirós no lograba entrar en la conversación. Y no salía de su asombro. No acababa de reconocer a su madre. Le parecía más graciosa, menos charlatana. Menos dominante que otras veces. Y, sobre todo, desdibujada en relación a él, borrosa respecto a Quirós. Como si Quirós fuera un invitado y no su hijo. Lo curioso no era lo que hablaban. Quirós a duras penas les oía. Lo curioso era, para Quirós, la irrealidad abrillantada de los nuevos atributos de su madre. Verlos era como contemplar una escena con prismáticos. Asombroso acercamiento de dos figuras que, instantáneamente, al separar los prismáticos, sólo son dos figuras vagamente familiares en la audaz lejanía, el puro más allá de la conciencia.

—Un día de éstos —dijo Luis, dirigiéndose a Quirós directamente—, un día de éstos tienes que conocer a mis dos hijos.

—Sí, claro, claro... —asintió Quirós.

—Estás un poco distraído —dijo doña Teresa.

—Tu madre y yo hemos pensado que al principio... —a pesar de su innata seguridad en sí mismo, Luis titubeó aquí—. O sea, este primer mes después de casarnos, que a lo mejor pues te apetece hacer un viaje, unas vacaciones. Hemos pensado que cincuenta mil pesetas te podrían apañar un viaje a cualquier sitio, a Alicante mismo, a Benidorm, ahora en septiembre...

—Ha sido todo idea de Luis, todo idea suya... —intercaló gozosamente doña Teresa.

—Nada de eso, nada de eso, idea de los dos, mitad y mitad...

—¡A ver, hijo!, di algo, ¿no te gusta la idea?

—Sí, desde luego —logró decir Quirós—. Pues muchas gracias.

—Ya me ha dicho tu madre que estás teniendo dificultad en colocarte...

—Alguna, sí —admitió Quirós a media voz. Enrojeció de irritación. ¿Sería posible que este bancario gilipollas fuera a interrogarle?

—¿Has pensado en una oposición? Están saliendo ahora muchas cosas. Yo siempre he dicho, a mis hijos se lo digo igual, que primero hay que tener lo segurito, primero lo esencial, la cosa básica. Como yo. Yo a los dieciocho años me preparé mi oposición al Banco, de auxiliar administrativo. Me hice mi oposición, saqué mi plaza y aquí me tienes...

—Es que César dice —intercaló doña Teresa— que una oposición es muy frustrante...

—Yo no he dicho semejante cosa —dijo Quirós secamente.

—¿Ah, no? Pues entonces, hijo, no sé por qué no te has presentado ya a una... —doña Teresa se pasó la lengua, pequeñísima, por el labio inferior recién pintado. Los ojos achicados repentinamente entre las pintadas pestañas relampagueantes. Quirós reconoció de nuevo a su aborrecida madre de antaño. La irritación se le alargó en el alma como la nariz de madera de un muñeco mentiroso.

—Frustrante —enunció Quirós calmosamente—, frustrante no es una palabra que yo use.

—Pues qué palabra usas tú, hijo, dínoslo. Por palabras que no quede...

—Ninguna. —La humillación, la ira, le cohibían. Se diría que Quirós había silbado las romas enes de «ninguna».

—¿Tú ves cómo se pone, Luis? Yo ya es que no sé qué hacer con él... —doña Teresa era ahora un homogéneo todo de maternidad melosa y viuda. La mirada con que miró a Luis hizo sentirse a Luis el hombre más hombre de la plaza.

—Mira, César, tú dirás que a qué me meto yo en tu vida. Pero es que claro, no es por ti. Es por tu madre. Tu madre y yo somos ahora una misma cosa. Es natural que quiera saber a qué atenerme contigo. ¿Es o no es lo natural? Tú dime a ver...

—Buscar trabajo es cosa mía. Yo no os he pedido nada ni a ti ni a mi madre...

—Bueno, mira, eso de que no la has pedido nada a tu madre, vamos a dejarlo. —Don Luis había dejado de comer. Había bebido un sorbo de cerveza. Ahora encendió un pitillo rubio. Un Winston.

—Déjale, Luis, déjale. Cuando se pone así es igualito que su padre... —recalcó doña Teresa, relamiéndose.

—¿Qué coño tiene que ver mi padre en esto?

—Un momento, chico, un momento. Lo primero, educación, Y a tu madre, lo primero la hablas como debes. ¡Qué modales son esos, qué lenguaje!

—Vamos a dejarlo, ¿vale?

—¿Cómo que vale? Yo estoy aquí —y don Luis se golpeaba el pecho, un poco, con el puño, a la altura del pasador damasquinado, como un mini-King-Kong de la finanza— y aquí he venido para defender los intereses de tu madre. Y a mí no me parece ni decente que con veinticinco años como tienes te subas a la parra y nos empieces con que si leches y con que si coños. Porque no lo voy a consentir...

— ¡Déjale, por Dios, Luis, déjale!

Quirós se levantó de la mesa. La pareja le contemplaba unánime. Una película muda que transcurre muy rápida en la refrigerada California de Gran Vía, la antigua, la más grande de las dos. Quirós, que había pedido chipirones en su tinta con arroz blanco, dejó sin acabar los chipirones. Un abrir y cerrar de ojos.

Pasó toda la tarde tratando de hablar por teléfono con Cristina. La llamó desde un teléfono público nada más salir de California. Era la hora de almorzar y, como es lógico, no la encontró ni en la oficina ni en su casa. Tuvo que esperar dos horas dando vueltas por la Plaza de España, recorriendo a paso largo el Paseo de Rosales. No tenía un céntimo. Hubiera deseado tomar una caña, sentarse en las terrazas que dan al Parque del Oeste. Pero no tenía un céntimo. No tener un céntimo era una idea pegajosa, como la sensación de estar sudado, o sucio, la agobiante presión del calor de mediodía. Sentado al borde del estanque, detrás de Templo de Debod, miraba sin ver hacia la Casa de Campo. La calima negaba el Guadarrama, de la misma manera que la irritación de Quirós, su malestar, negaba la existencia sentimental de todo lo que no fuera el propio Quirós ahí sentado, sintiéndose molesto con el mundo, viciado por sus estrechas circunstancias, como carne podrida picada de moscas. Al final, al cabo de dos horas, pasadas ya las cuatro, sólo pensaba en el dinero. «Me hace falta dinero.» Ya no era una frase, sino, como la sensación de hambre o de sed, un trastorno fisiológico. Tenía que hablar con Cristina a toda costa. Volvió a la Plaza de España. Tuvo que esperar la cola de los teléfonos públicos junto al metro. Cuando por fin consiguió hablar con la oficina de Cristina, Cristina estaba con el jefe y no se podía poner. Dejó el recado. Volvió a llamar al cabo de una hora. Cristina se puso. «Vaya plantón ayer, majo.» «Tengo que verte sin falta esta tarde. Te lo explico todo.» «Tiene que ser muy a última hora, entonces. Estoy muy liada.»

Quedaron, una vez más, a las ocho en casa de Cristina. Aún faltaban tres horas. Quirós volvió a su casa. Se dio una ducha. Se tumbó en la cama. Su madre no había vuelto. El olor de la casa silenciosa le tranquilizó, como de niño. Se quedó dormido un rato. Se despertó empapado de sudor. Volvió a ducharse antes de salir. Llegó puntualmente a casa de Cristina a las ocho de la tarde.

—¡Vaya plantón, majo!

—Déjame que te lo explique todo.

—Primero déjame tú que me instale. Acabo de llegar de la oficina. Estoy molida.

Cristina se duchó durante un largo rato. Tumbado en la cama, fumando los cigarrillos caros de Cristina, oliendo su perfume, Quirós se sintió un poco mejor, algo más seguro de sí mismo. Cristina, al fin y al cabo, estaba ahí, todo seguía igual. Fue a la cocina en busca de bebida. Abrió una lata de cerveza y volvió, bebiéndola, al dormitorio. Andar descalzo por la casa, sin camisa, contemplarse en los espejos verdes y dorados del vestíbulo y del pasillo, le recordó a Ortega. ¿Iba a contar la verdad? ¿No sería preferible inventar una historia cualquiera? ¿Cómo reaccionaría Cristina si se le contara la verdad? Recordó haber leído en alguna parte, probablemente en el periódico, una cita de Barthes o de Sartre: «Sólo se puede vivir haciendo trampa, trampeando, no encuentro otra palabra.» Esto le pareció, de pronto, el exacto resumen de su vida. Trampeando es como él, Quirós, por definición, más bien que por elección o por gusto, vivía. Y esta idea, junto con la cerveza, y el predominio de blancos, verdes y dorados de la decoración del piso de Cristina, su propia desnudez (al regresar al dormitorio, Quirós se había desnudado por completo como un gesto de audacia o como un signo semiconsciente que Cristina había de interpretar como una súplica, a la vez que una vuelta a la normalidad entre ellos dos), su propio cuerpo, firme y oscuro, anónimo y pungente, le reanimaba a toda prisa. También Cristina, como si adivinara la naturaleza de la situación, salió desnuda del baño, aún mojada. Se tumbó junto a él. Bebió un sorbo de cerveza. Le acarició el pecho con las uñas.

—¡Qué caliente estás, chato, echando chispas!

—Chúpamela un poquito, eso te gusta...

—¿No me tenías que dar una explicación?

—¿Qué más explicación quieres que ésta? —Quirós arqueó el cuerpo, todo el cuerpo, como un puente apoyándose sólo en los hombros y los pies.

—¿Esto qué es? ¿El kamasutra?

Quirós se dejó caer sobre la cama. Se abrazó a Cristina. Era delicioso el frescor de los senos y del cuerpo. El olor rosa. Quiso besarla y Cristina volvió la cabeza.

—¿Qué te pasa? ¿No te gusto ya? —murmuró Quirós.

—Me gusta más que me hables. Estoy cansada. No tengo gana... —Cristina se apartó un poco de Quirós.

Quirós cogió la mano derecha de Cristina y la sujetó con la suya en torno a su pene erecto.

—Hazme una paja por lo menos.

—No tengo gana, déjame... —Cristina se zafó de su mano. Apoyó la cabeza en una mano, vuelta de lado le miraba. Le golpeaba con el pie la pierna. Quirós miraba al techo. Su erección también cedía. Cruzó las manos por detrás de la nuca.

—¿Qué te pasó ayer? Tú eres muy puntual. Es la primera vez que haces una cosa así. Algo te tuvo que pasar... —Cristina le miraba divertida. Había encendido un pitillo.

—Dame una calada —dijo Quirós sin moverse. Cristina le puso el pitillo en la boca. Quirós aspiró el humo ávidamente. ¿Qué iba a contar? Se acordó de lo que Ortega había dicho de las ocurrencias. No se le ocurría nada ahora. Se sentía cohibido. No sabía, en realidad, cómo iba a reaccionar Cristina. Si contaba la verdad, iba a quedarse sin bazas. La sensación de estar jugando un rapidísimo juego de cartas le hizo sentirse fatigado. Cristina volvió a acariciarle el pecho con las uñas. Trazando con las uñas de la mano derecha un veloz dibujo zigzagueante sobre su piel.

—Cogí una borrachera...

—¿Una borrachera tú? Me extraña mucho...

—No sé por qué...

—Porque me extraña. No es lo tuyo...

—¿Y qué es lo mío?

—Lo tuyo es más bien esto... —Cristina hizo un gesto con

175

la mano, con el pitillo entre los dedos. Un movimiento ambiguo.

—Lo nuestro —declaró Quirós lentamente— ya no es como antes. Cada día me tratas peor...

—¿Te hace falta pasta?

—Eso entre otras cosas...

—Haberlo dicho, hombre, haberlo dicho...

—Pero no es eso. Es... Es tú que has cambiado, estás cansada de mí... No sé si es que hay otro, o necesitas otro, o estás harta, o qué...

—Cuéntame lo de ayer. La verdad. Eso es lo que más me divierte de todo, ya ves...

—Estuve con Ortega, nos emborrachamos. Me acosté con él...

—¡Y dale! ¿Por qué tienes tanto empeño en que me crea esa historia?

—Es la verdad.

—Lo será. Pero no me la creo. Así que da lo mismo.

—Entonces, chati, no se me ocurre nada.

—Cuéntame la verdad —dijo Cristina— como si fuera algo que inventas, engañándome, ¿no te das cuenta de que no quiero saber nada de ti que sea verdad? Si lo que vas a contarme es la verdad, entonces arréglatelas para enturbiarla, hazme sentir que me engañas un poco y que me mientes. Para verdades ya tengo de sobra en la oficina. No vayas a empezar tú ahora...

—¿Sabes lo que me pasó ayer, Cristi?

—No. Cuéntamelo todo...

—Pues que me llamó Ortega por teléfono, y me dijo que comprara todo el porno-gay que encontrara a mano, para lo cual, por descontado, ya me había dado el día anterior cuarenta mil pesetas. Vídeos y toda la leche, que los íbamos a poner en el vídeo de su casa. Así que así lo hice. A las cuatro me fui a su casa y nos liamos a beber, a liar canutos y a ver películas de porno americano... El tío estaba loco de contento... Estuvimos así toda la tarde, hasta las tantas de la noche... Por eso no pude venir aquí. No era el momento.

—Así está mejor —dijo Cristina—. ¿Y qué más, qué más?

Quirós pasó la noche en casa de Cristina. Cristina se durmió casi enseguida, al arrullo del relato obsceno que Quirós inventaba. Hubo un punto, poco antes de que Cristina se durmiera del todo, en que la inverosimilitud de los detalles hizo reír al propio Quirós. «¿De verdad te entretiene esta majadería? Hace rato que sólo se me ocurren bobadas. Ni siquiera es pornográfico», llegó a decir Quirós. «Me hace más gracia así», murmuró Cristina. Poco a poco se le contagió a él también la somnolencia. El despertador eléctrico de Cristina les despertó a los dos a las siete en punto. A esas horas de la mañana Cristina apenas hablaba. Con gran rapidez se vistió, se arregló la cara, se hizo una taza de Nescafé. Quirós la observaba ir y venir desde la cama. «¡Déjame mil pesetas!», Quirós titubeó. A Cristina no le gustaba que le distrajeran a esa hora. Quirós lo sabía de sobra. Pero la necesidad de dinero, siquiera un poco, para pasar el día, había despertado ferozmente con él aquella mañana. «Perdona, estoy sin un céntimo.» Cristina ya se iba. Sin hablar dejó dos mil pesetas en el tocador. Quirós oyó cerrarse la puerta de un portazo. No se alarmó, sin embargo. Cristina había salido así ya otras veces. Y en otras ocasiones Quirós había logrado volverse a dormir un par de horas o tres después de irse Cristina. No había sentido remordimiento en ocasiones anteriores. Y tampoco era remordimiento o vergüenza lo que sentía ahora. Más bien era temor. Quirós examinó este sentimiento cuidadosamente. Tenía la sensación de tenerlo entre los dedos, como un objeto resbaladizo, a medio camino entre el reino vegetal o animal y el mineral. Como si fuera una piedra redondeada cubierta de légamo, escurridiza y viviente, turbia y maligna, desagradable al tacto: como una parte de su propio cuerpo, una muela recién extraída, cariada, todavía ensangrentada, o como el ojo de un animal, borroso y repugnante en el hueco de la mano: tener miedo. ¿Y si Cristina se cansara de él, le rechazara? Esta idea, que no era nueva, era hoy viscosa. En el confortable dormitorio blanco y dorado de Cristina, en la nitidez extra-plana de aquel mobiliario un poco frío, un poco impersonal, un poco demasiado igual a los diseños de dormitorios de una revista de decoración. Miedo a verse empujado más allá de su autocomplacida y constante percepción del cuerpo propio, hacia la fealdad de un exterior preadolescente, hacia un cuerpo minúsculo y onírico del que no podía separarse, que no resultaba gratificante acariciar, sino prohibido. «Si Cristina me rechazara ahora —pensó Quirós, palabra por palabra—, tendría que volver a mi niñez, a la casa de mis padres, al ingrato e incomprensible ir y venir de los adultos, a las discusiones de mi madre y mi abuela, a un ser traído y llevado del que no soy dueño, a una casa donde soy invisible, o insignificante, un niño.» Y Quirós no entendía por qué estas representaciones, que velozmente aparecían y desaparecían ante su conciencia entornada, le causaban pavor esta mañana, una profunda desazón y angustia. «Si andas ahí tocándote, luego no te crece, cochino, lo que tiene que crecer», le había dicho su abuela un día que le encontró masturbándose en el cuarto de baño. ¿Cuándo ocurrió eso? También era angustioso ahora recordar esa escena y aquellas palabras sin lograr localizarlas cronológicamente. Como una advertencia formulada en abstracto, como noticias impersonales acerca de una enfermedad contagiosa, como el miedo al ridículo. Quirós se acarició los genitales ahora y se acordó de Ortega. Algo profundamente satisfactorio había tenido lugar aquella tarde en Ríos Rosas. Ortega de rodillas, implorante, admirándole. La abuela estaba chocha, se había confundido, había mentido, aquella vieja verde.

Se habían hecho las nueve ya de la mañana. Quirós se estaba haciendo un Nescafé en la cocina. Sonó el teléfono. Tres veces, sobresaltándole. Pensó no ir, no contestar, no descolgar. Quedarse quieto, como un niño. Como de niño. Dos veces más. Tres veces.

Quirós corrió al teléfono, en la sala. Cristina. Era Cristina.

—¿Dónde te has metido?

Se oía suave, amorfo, rosa, el hilo musical de la oficina. Repiqueteo de máquinas eléctricas. Unas risas.

—Estaba en la cocina.

—¿En la cocina?

—Estaba haciéndome un café.

—Mira… Un momento, por favor, Ignacio, en un momento estoy contigo… César…

—Sí, dime.

—Mira, que estoy ocupadísima. ¿Vas a quedarte ahí, o qué?

—¿Cómo si voy a quedarme aquí?

— ¡No seas pelma! Arréglate y vete. Hoy viene la asistenta…

—¿Nos vemos luego?

—Hoy no puedo, hoy es imposible. Esta noche, además, tengo gente…

—¿Que tienes gente? ¿Qué gente?

—Gente. Unos amigos…

—Pero, ¿qué amigos? ¿No puedo estar yo?

—Hoy no, mira. Esta tarde no.

—¿Qué amigos son esos?

—Unos amigos de aquí de la oficina…

— ¿Y yo por qué no puedo…?

— ¡Qué manía! Porque no. Esta tarde no.

—O sea que esta tarde tienes plan, ¿no? ¿Quién es ese Ignacio?

—… ¡Sí, ahora voy, ahora voy! Llámame mañana por la tarde. Adiós.

El hilo musical cesó de golpe. A Quirós se le saltaron las lágrimas. Se vistió sin ducharse. Cogió las dos mil pesetas. Bajó a pie las escaleras. Le deslumbró, ya en la calle, la castradora luz del día. Sólo eran las diez de la mañana.

Le vio de lejos dando vueltas. De espaldas. Se metió en un bar. Pidió una caña. A través del cristal también se le veía. Iba y venía por la acera de enfrente. Las cosas habían cambiado mucho. Las imágenes y los pensamientos habían acribillado a Ortega durante veinticuatro horas seguidas. Al regresar a casa la tarde anterior y no ver a Quirós y no recibir llamadas telefónicas, Ortega había recorrido, como una rata en un experimento, el circuito cerrado de dos, a lo sumo tres, grandes y opacas emociones: el deseo de volver a ver al chico, el deseo de no volver a verle, la esperanza de sacar de aquella experiencia (que ahora resultaba desoladora y desolada) un impulso creador, o sencillamente el suficiente impulso para no atormentarse inútilmente. Era ir y venir por un carril irremediable. Ortega había reencontrado, resumido en veinticuatro horas, la repetitividad y la ineficacia que durante años le habían mantenido en suspenso. Durante quince años, Ortega se las había arreglado para vivir en suspenso. Y de pronto se encontraba envuelto en el resorte de una acción que ya no podía deshacerse: aquella escena con Quirós. Por eso, el verle de lejos, esperándole a la puerta de su casa, vigilando la entrada de su madriguera, le llenó de angustia. Y su primer instinto fue el de huir, esconderse. Pero ese acto de esconderse, meterse en un bar y pedir una caña (era una freiduría bulliciosa, atestada de gente), puso de relieve una emoción que durante las veinticuatro horas anteriores apenas había aparecido: el deseo de librarse de Quirós. La despiadada voluntad de transformarle en un objeto nostálgico, ya en manos del olvido. Y esa voluntad era como un deseo dulzón de eliminarle, una silenciosa, repulsiva, gana de matarle. Por eso, a la vez que se escondía en la taberna, Ortega se avergonzaba de sí mismo y ponía en marcha un mecanismo punitivo implacable: desear librarse de Quirós para pensar libremente en él era, a ojos de Ortega, el único deseo imperdonable, la única falta absoluta. Por eso, para apartar de sí siquiera un poco la sombra de esa falta, Ortega pensó: «Hoy no. Esta tarde no. Esta tarde voy al cine. Quiero ver tres películas seguidas. Hasta las diez de la noche. Y volver a casa y acostarme. Mañana ya podré verle otra vez, hablar con él. Sólo ha sido un mal momento este deseo.» Pensar eso le tranquilizó un poco. Pidió otra caña. Encendió un pitillo.

A través del cristal veía la figura de Quirós como perdida. Daba pena verle ahí dando vueltas. Aprovechando apenas la sombra de las casas. Inquieto en el calor del mediodía. «También él va y viene como yo por un circuito cerrado: el esperarme es su infierno, lo mismo que el no desear volver a verle es el mío.» La situación tenía un lado cómico. Un lado ridículo. Ortega hizo un esfuerzo por verse a sí mismo desde fuera, ahí escondido en la taberna. Trató de verse en su agobiante insignificancia, como le vería Dios si hubiera Dios. Trató de sonreír. ¿Cómo sonaría todo aquello contado por un narrador a salvo de sí mismo, un narrador bienhumorado? Era inútil tratar de imaginarlo. Y eran ya las cuatro. Si Quirós no se iba, Ortega tendría que enfrentarse con él. No podía seguir eternamente bebiendo cañas de cerveza y escondiéndose. Quirós se había detenido. Miró nuevamente el reloj. Se iba. Daba la vuelta a la plaza. Ortega le vio desaparecer Islas Filipinas abajo. Salió precipitadamente de la tasca. Se metió en el portal como un conejo. Ya en su casa, se sentó en una silla, empapado de sudor, en el vestíbulo. Pensó: «Estoy como una cabra. Mañana estaré ya bien. Me ducharé y me iré al cine. Mañana hablaremos ya de todo.»

Eran las once de la noche. Quirós estaba sentado en un banco a pocos metros del portal. No había escapatoria. Además, no hacía falta que la hubiera. El cine le había tranquilizado. Quirós tenía mal aspecto. Sin afeitar. El pelo pegajoso. O quizá resultaba atractivo de otro modo. La noche cambia todas las figuras. Hasta las más temidas se dulcifican repentinamente. Nadie está libre de la embriagadora privación de la luz, el útero de hierba que transcurre sin márgenes, sin ojos, por la epidermis de las calles. Ortega sonrió al saludarle. Quirós no sonreía. Mascaba chicle.

Y eso le daba un aire desusado, una expresión nerviosa. Ortega no sabía si era timidez o chulería.

—¡Menos mal que apareces! —dijo Quirós.

Entraron los dos en el portal. Ortega tenía la boca seca. No dijo nada. Llamó al ascensor. Subieron en silencio hasta el séptimo.

—Somos dos hombres fuertes y silenciosos, está visto —bromeó, sin gracia, Ortega. La frase sonó cuchicheada, apagadamente silbante en la cerrazón del descansillo. La puerta de metal del ascensor se cerró sola, o pareció cerrarse sola, con un estampido gigantesco. Entraron los dos en el vestíbulo. Primero Ortega, detrás Quirós. Ortega encendió las luces del pasillo, de la cocina, del cuarto de estar, del dormitorio. Sin saber por qué bebió un trago de agua en el grifo del cuarto de baño. Quirós le había seguido en este rápido esfuerzo de alumbrarse, sentirse natural, sentirse en casa. Y el esfuerzo había fracasado: Ortega miró a Quirós de hito en hito sin saber qué decir ni qué pensar.

—¿Para qué enciendes tantas luces? —preguntó Quirós.

—Pues porque sí, ¿para qué va a ser? No vamos a estar a oscuras...

—Llevo toda la tarde esperándote...

—Es que he ido al cine...

—Podías haberme esperado...

—No sabía que venías...

—Pero podías suponerlo, tampoco es tan difícil...

—Estaba muy cansado. Con las vacaciones ahora, la mitad están fuera, toda la mañana sin parar. La verdad es que creí que no ibas a venir. No lo pensé. Me metí en un cine...

—Creo yo que lo más normal es que viniese, vamos, digo yo...

—No, ya. Sí, normal, sí...

—Bueno, ¿y qué tal? —Quirós estaba de pie. Ortega se había sentado en el sillón—. Voy a apagar todas las luces... —y Quirós recorrió la casa apagando todas las luces, excepto una pequeña que dejó en la sala. Y abrió la ventana. Y se adivinaban abajo, como un puerto, en la brisa, serpenteantes, las luces de posición de los navíos, las calles, las casas...— Ahora se respira... —dijo Quirós, como quien concluye una tarea larga y agobiante—. Bueno, ¿y qué tal? —repitió.

—Bien —dijo Ortega.

—¿Sólo bien? No te veo muy convencido...

—¿Cómo convencido?

—Pues convencido. Contento. Satisfecho. Aquí me tienes. ¿No te alegras de verme?

—¡Claro que me alegro!

—No lo veo yo tan claro. Pero que nada claro. Bueno, ¿qué?

Quirós seguía mascando chicle. Ortega trató de decidir fríamente si esa actividad confería a la cara de Quirós un aire de despreocupación, o lo contrario. Un nerviosismo que trata de hacerse pasar por naturalidad, por placidez.

—Te veo mascando chicle...

—Pues ya ves... —Quirós estaba de pie ante Ortega cargando el peso del cuerpo sobre la pierna izquierda, la cadera saliente, los pantalones ajustados y la camisa ancha, a la moda, blanca y negra, arrugada, a juego con ir sin afeitar. Resultaba atractivo, callejero. Resultaba anónimo. Ortega se sintió recorrido por una sensación de anonimato, su propio cuarto de estar desfigurado por la noche de la ventana abierta, como la boca de un puerto, y la presencia juvenil de Quirós, idéntico, ahí de pie, mascando chicle, fumando Fortunas, a centenares de miles de parados jóvenes. Como una memoria involuntaria, irresponsable, de la vez anterior, a Ortega le recorrió un escalofrío de deseo. Encendió un cigarrillo.

—Esto de verte mascando chicle me hace gracia... ¿No te vas a sentar?

—Te veo incómodo —dijo Quirós.

—Pues no lo estoy... Pero acabaré estándolo si sigues ahí de pie.

Quirós se sentó frente a él, en la misma silla en que Ortega se había sentado la otra noche. Ladeaba un poco la cabeza, como quien contempla, entrecerrados los ojos, con cierta desconfianza, a una persona, un simple conocido, que acaba de decir algo raro.

—No sé si te das cuenta —bromeó Ortega tragando saliva— que me miras como a un bicho raro, llevas mirándome así ya un buen rato...

—Es que te veo raro. Y, además, me siento raro yo también... —Quirós hablaba lentamente, como manoseando las palabras, como si le costara un considerable esfuerzo construir las apropiadas oraciones gramaticales. Como si le oprimiera un deseo sin palabras y se esforzara por irlo expresando poco a poco. Tan contraído parecía, ahí fumando con los codos apoyados en las rodillas y las manos entrecruzadas, que Ortega pensó: «Está fingiendo, está actuando.» E inmediatamente se avergonzó de pensar eso. Y pensó lo contrario, que, en Ortega, equivalía a pensar: «Estoy siendo cruel, estoy siendo injusto.» Pero los pensamientos de Ortega (y especialmente aquella noche) no eran casi pensamientos; eran más bien imágenes, fotogramas, caóticamente intercalados, sucediéndose inapelable y vivazmente unos a otros, secuencias acumulativas. Por eso, a pesar de avergonzarse velozmente por pensar que Quirós fingía, Ortega se acordó de los actores del Actor's Studio, sus amaneramientos felinos, la eficacia erótica de sus pequeños calculados gestos, en apariencia irrelevantes. El gesto de Quirós ahora consistía en contemplarse fijamente las manos cruzadas y dar chupaditas cortas al pitillo. Ortega sintió una sensación de mareo.

—¿Cómo es eso de que te sientes raro? —preguntó, por fin, Ortega, tratando en vano de conferir un tono ligero a su frase. Quirós le miró fijamente. Y, antes incluso de que contestara, Ortega ya sabía que su grotesco, imprevisible calvario, había empezado.

—No veo por qué te extraña. Después de lo de anteanoche. Ya no es lo mismo entre nosotros. Lo de anteanoche, reconócelo, fue un corte...

—Lo siento mucho, de verdad.

—¿Por qué lo sientes? Yo no. Al contrario. Todo lo contrario.

—Fue una debilidad.

184

—Bueno, según. Ya se veía venir, ¿no?

Ortega no contestó nada. Quirós apagó el cigarrillo en un cenicero cercano, deshaciendo la brasa con los dedos.

—¿Sí o no? —inquirió Quirós secamente ahora. Se sopló los dedos.

—¿Sí o no qué?

—¿Se veía venir o no se veía venir? Di la verdad.

—Siento mucho lo ocurrido. No volverá a ocurrir

—¿Por qué no?

—Fue una debilidad. Tuve yo la culpa. Reconozco que tuve yo la culpa. No volverá a ocurrir. Podemos seguir siendo amigos, si tú quieres, sin eso...

—¡Sin eso! —había desprecio exclamativo, una sorda nota triunfal en la voz de Quirós—. ¿No te gusto ya, o qué?

—Fue una debilidad, un mal momento —repitió Ortega agobiado.

—¡Una debilidad, un mal momento! —le brillaban los ojos a Quirós. La guasa, la venganza, la incalculable peligrosidad de su pequeña crueldad, le hicieron relucir en aquel instante como una conciencia de vidrio—. Me asombras, tío. De verdad, Gonzalo, es asombroso. Eres increíble. Nunca he conocido a nadie como tú...

—¡Por favor, no digas eso! —Ortega, como si en aquel momento le fuera dada la capacidad de contemplarse fría y burlonamente desde fuera, desde lejos, se dio cuenta de que iba cayendo, una por una, en todas las trampas que Quirós le tendía; quizá (a pesar de todo aún tuvo tiempo Ortega de hacer esa noble salvedad) sin querer Quirós en serio rematarle.

—Nunca he conocido a nadie como tú —repitió Quirós—. Ahora, de pronto, lo que durante toda tu vida te ha gustado, lo que desde el primer momento de encontrarnos, hace un mes o dos o los que sean, deseabas y querías y has estado buscando y dando vueltas, ahora resulta que me dices que es una debilidad y un mal momento... ¿Sabes lo que eres tú?

—Perdóname —murmuró Ortega.

185

—Eres un hipócrita. Por eso has fracasado, porque eres un hipócrita. Te voy a ser sincero, a mí me es igual. Lo que me jode es que te creas tú mismo tus mentiras. Me jode por ti, ya ves. Más que por mí.

A Ortega se le saltaron las lágrimas. Y ver esas lágrimas hizo que Quirós se sintiera si no avergonzado de provocarlas, sí al menos compasivo, con esa compasión instantánea (aunque epidérmica) que a veces sentimos tras maltratar en un momento de irritación a un animal doméstico. Y esa compasión era en este caso tanto más fácil de sentir, y tanto más gratificante, cuanto implicaba suprema debilidad por parte de Ortega y suprema (aunque momentánea) fortaleza por parte de Quirós. Y a cualquier precio necesitaba Quirós aquella noche sentirse fuerte aunque sólo fuera momentáneamente. Resulta difícil saber hasta qué punto era Quirós deliberado agente en todo este vaivén emocional. La efectiva debilidad de Quirós fuera de aquella casa, enfrentado con su madre y con Cristina, era un impulso ciego y formidable, casi puramente mecánico como el corrimiento de una gran masa de tierra que aprovecha las grietas y fisuras preexistentes para desplazarse. En cualquier caso, la compasión le hizo acercarse a Ortega y sujetar su mano derecha entre las suyas.

—No te preocupes por nada —murmuró Quirós.

—Siento mucho todo esto —susurró Ortega, acariciando la cabeza de Quirós, el pelo húmedo, con la mano izquierda—. Sólo quería ser amigo tuyo —balbuceó Ortega...

Quirós se llevó la mano de Ortega que sostenía entre las suyas a la entrepierna. Se frotó con ella, con fuerza, abriendo y cerrando las piernas lentamente: «Ahora estamos mejor, eh, guapo», cuchicheó al oído de Ortega, apoyando la cabeza en el hombro. Ortega se retiró bruscamente. Quirós se abrió la cremallera de la bragueta.

—Chúpamela un poquito, como el otro día, sé que eso te gusta...

—Déjame, por favor, déjame —dijo Ortega.

—¿Qué te pasa ahora? No seas bobo. A mí también me gusta.

Es lo que más me gusta. Me gusta más contigo que con mi novia incluso. Lo sabes hacer mucho mejor...

—Déjame, por favor...

Entre una cosa y otra, entre la compasión y la crueldad, entre las humillaciones diurnas y esta fácil victoria vespertina, Quirós había acabado por excitarse mucho sexualmente. La retirada de Ortega, que vista desde fuera tenía un aspecto de timidez o de coquetería, le excitó aún más.

—Oye, que me corro solo, chúpamela un poquito, joder, sólo un poquito, la puntita...

Ortega se puso de pie casi de un brinco. Quirós le miró molesto; se sentía menospreciado; nunca le había pasado una cosa así. Era una chiquillada irritante. Todo era una tontería, una ridiculez. Quirós no se entendía a sí mismo en aquel momento del todo. Se había ofrecido a Ortega, con auténtica sinceridad, sin segundas intenciones, por las buenas. Con gana de correrse los dos juntos. Y el resultado era ridículo. Ortega le rechazaba.

—Que te compre quien te entienda, majo...

—Mira, vamos a dejarlo. De verdad, vamos a dejarlo...

—¿Qué coño te pasa? —el tono de Quirós era pensativo y frío—. ¿A qué viene ese rollo? ¿No te gusta ya, o qué?

—No es eso. Ya sabes que no...

—Entonces, ¿qué te pasa?

—No podemos seguir así, lo sabes de sobra, no podemos, yo quiero ser amigo tuyo...

—¿Qué tiene eso que ver?

—Si seguimos así, se va a deshacer todo...

—¿No será que tienes miedo? ¡A ver si encima de maricón eres un cagueta! Es legal, tío, es legal. Ya soy mayor de edad...

—No hables así...

—Lo que tienes es miedo. Quieres que me largue, ¿no? Quieres volverte atrás. Ya no puedes volverte atrás...

Quirós se cerró la bragueta. Se ajustó los pantalones. Encendió un pitillo.

—Esto te cuesta caro —dijo.

Ortega se dejó caer en el sillón, hundió la cabeza entre los brazos. Quirós le agarró por los pelos y se le acercó mucho; le hablaba con voz fina, nueva, como histérico. Ortega sintió la llamarada fría del terror en las sienes, el cuerpo, retraído, como un animal que teme una patada.

—Veinte mil pesetas, dame veinte mil pesetas.

—No las tengo. No tengo ese dinero.

—Dame veinte mil pesetas, maricón, o te mato —Quirós le sacudía la cabeza.

—No las tengo, déjame.

—Dame lo que tengas. Dame lo que tengas o te mato. Tú de mí no te ríes...

—César, cálmate, por Dios.

—Hijoputa, tú de mí no te ríes... ¿Cuánto llevas encima? —la mansedumbre de Ortega le excitaba aún más.

—No lo sé. Poco. Dos mil pesetas... —Ortega se sacó la cartera del bolsillo trasero. Se la tendió a Quirós sin mirarle. Había tres mil pesetas en billetes de mil.

—Con esto no tengo bastante.

—¿Cuánto quieres?

—¿Que cuánto quiero, hijoputa? Lo que tengas. Quiero todo. ¿Tú qué te crees? ¿Qué te has creído? El talonario. La cartilla. A ver dónde lo tienes. ¡Te voy a dar un palo que te vas a acordar la puta vida, maricón, marica!

—¿Quieres que te firme un talón?

—Quiero que me firmes una polla. A ver, a ver qué tienes...

Ortega pensó: «Así tenía que ser. Es preferible así.» No había ni un solo resorte ya, ningún recurso. Sólo la voluntad de terminar, de darse por vencido.

—Tienes toda la razón —dijo Ortega—. Tengo una cartilla con un millón de pesetas más o menos. Y la cuenta corriente. Ahí no hay casi nada...

—Me voy a quedar aquí contigo toda la puta noche, ¿me oyes? Tú de mí no te ríes, ¿me entiendes? Mañana por la mañana vamos los dos a donde sea, donde tengas la cuenta o la cartilla y

188

te espero fuera en la calle y sacas el millón y lo metes en un sobre y sales a la calle y me lo das. ¿A qué hora abren?

—A las ocho. Hasta las nueve no abren caja... —Ortega se sorprendió a sí mismo, tanta era su indiferencia ahora, la paz reconquistada, el útero de hierba melodiosa.

—Pues a las nueve. Te doy un cuarto de hora. Si a las nueve y cuarto no has salido, se entera todo Dios de que eres marica... No vuelves a pisar esa oficina...

—No te preocupes. No hará falta armar escándalos. No hará falta siquiera ir tan pronto. Es mejor para ti que no se note nada raro. Yo saco el dinero y te lo doy por la tarde, mañana por la tarde aquí mismo.

—¡Eso, y mientras yo te espero tú te largas!

—¡Qué va! Yo no me largo. No tengo dónde ir. Ya he llegado donde quería llegar...

No hubo tirantez. Quirós se fue al dormitorio. Se desnudó. Se duchó. Se tumbó en la cama. Por el piso de par en par corría el aire. Quirós se quedó dormido en seguida. Con la luz encendida. Ortega apagó la luz de la sala y se quedó sentado junto a la ventana todavía una hora, quizá dos. No miró el reloj en todo ese tiempo. No sentía la gravidez del cuerpo, ni el cansancio, ni el paso del tiempo. Cuando Quirós salió de la habitación, Ortega temblaba. Desde su sillón en la sala percibía los movimientos de Quirós amplificados desmesuradamente. Quirós había dejado la puerta de la sala abierta y había una semioscuridad ambarina en todo el piso que se confundía con la ascendente fragancia de la noche. Ortega cerró los ojos concentrándose en el rumor lluvioso de la ducha golpeando la cortina de plástico como anchas hojas rígidas y grises de la desconocida vegetación de una selva. Y oyó sus pasos que hacían crujir la tarima vieja del pasillo. Y oyó que se tumbaba en la cama y cómo encendía el mechero. Y el silencio después, el largo hiato que les separaba, les unía en aquel profundo desconcierto de la agresión, la humillación, lo incalculable. Quizá también Ortega se quedó dormido, sudoroso, sobresaltado, agotado. Al abrir los ojos tuvo la sensación de que había transcurrido ya mucho rato, de que amanecía. La noche era cerrada, sin embargo. Salió a la terraza. Le sorprendía no sentir nada. Ninguna emoción. Volvió a entrar en la casa, de puntillas se acercó a la puerta del dormitorio. Vio a Quirós durmiendo, desnudo sobre su cama. Apagó la luz del dormitorio, la luz del cuarto de baño. Regresó a tientas a la sala. Volvió a sentarse en el sillón junto a la ventana. Encendió un pitillo. Lo apagó a la mitad. Se iba quedando dormido. Estiró las piernas y se quedó dormido.

Eran las cinco de la mañana. Quirós le sacudía el hombro.

—¿Es que no te acuestas, o qué?

—¿Qué hora es?

—Todavía tienes tiempo de dormir dos horas. ¿Por qué no te acuestas?

—No quería despertarte.

—¿Apagaste tú la luz?

—Sí. La apagué yo hace un rato. ¿Qué hora es?

—Todavía es temprano. Ven a acostarte…

Ortega se levantó. Quirós le conducía. Andaban a pasitos. Al llegar al pasillo, lo ocupaban todo, de pared a pared, los dos andando. Quirós le rodeaba a Ortega la cintura con el brazo. Y Ortega le rodeaba a Quirós el cuello con el brazo. Y se detuvieron en medio del hueco de la puerta. Frente a frente. Y Ortega le agarró desesperadamente la cabeza a Quirós con los dos brazos y con las manos le revolvía el pelo, y con la boca, como un morro de choto, le besaba los labios y los ojos y la boca, le lamía la áspera barba con la lengua. Y Quirós se apretaba contra él, como animales, como amantes, en la ilusión ambarina de las cinco de la mañana. Y se tumbaron juntos en la cama, Ortega vestido y Quirós desnudo. Quirós apagó la luz de la mesita. Encendió un pitillo. Ortega le dijo:

—Tengo sed. Dame una calada... —Quirós le puso el pitillo en la boca. Ortega aspiró el humo. Quirós le quitó el pitillo de la boca. Era una escena fraternal.

—¿Qué te pasaba esta noche, joder? Me has hecho decir barbaridades.

—Tenías razón en todo...

—¡Qué voy a tener razón! Estaba como loco. Todo me sale mal. Me cabreó que te echaras atrás. Lo siento...

—Tenías razón...

—¿No sabes decir otra frase, guapo?

Se despidieron en paz. Cada cual disculpándose. A sabiendas los dos de que aquellas disculpas eran circunstanciales y que todo seguía pendiente. Todo, entre ellos dos, había cambiado. Para Ortega, porque había vuelto a la superficie de su cuerpo una concupiscencia que, si bien nunca le había abandonado (y que siempre, en su fuero interno, había considerado lícita), siempre había logrado subordinar a su voluntad de guardar las apariencias, su preeminente deseo de parecerse a la inmensa mayoría, vivir en paz su vida gris de bancario, su fracasada existencia literaria. Pero los insurgentes deseos de ahora volvían enfermos de confusión y cobardías. Le venían grandes, le parecían máscaras grotescas que no se sentía en condiciones de asumir. Tras tantos años de vivir apagado, no se sentía Ortega dueño ahora de la intensidad de sus afectos, que gesticulaban alborotados y como en las afueras de su propio ser, como trajes de una moda excesiva. Convertir a Quirós en su amante y vivir con él —aunque fuera en secreto— le resultaba a Ortega tan fantástico, tan peligroso y tan confuso como alterar repentinamente todo su vestuario o verse obligado a hablar en público o salir en la televisión. Y luego había la terrible presencia de aquellas amenazas que Quirós inequívocamente había formulado y que ningún posterior pedir disculpas podía hacer olvidar. Habían quedado en verse de nuevo aquella tarde. Y Ortega, a medida que transcurría lentísimamente la mañana laboral, iba sintiendo cada vez con más y más urgencia la necesidad de apartar a Quirós para siempre de su vida. Y para eso sólo había un camino: comprar su libertad. Cambiar por dinero, todo el que pudiese, el regreso a sus grises hábitos. Sacó quinientas mil pesetas de su cartilla a mediodía.

Todo había cambiado. Para Quirós, sin embargo, la situación se había vuelto fascinante. Mucho más que nunca. Pensándolo bien, la violencia de sus propias reacciones de la pasada noche había sido sorprendente. Asustar a Ortega, manipularle, le había excitado sexualmente. Y esto era una novedad. La gran novedad de la situación era el terror que había conseguido infundir en Ortega. Se sentía rejuvenecido. En condiciones de enfrentarse ahora de igual a igual con Cristina, con su madre. Y de la misma manera que la sensación de frustración y de impotencia se le había representado días antes como un viscoso objeto exterior que podía sostener con ambas manos, ahora tenía la sensación de que su recién descubierta capacidad de estimularse sexualmente mediante un acto (impremeditado, espontáneo) de brutalidad o crueldad también era exterior a sí mismo. Como una foto obscena que podía contemplar en soledad, observarla detalle por detalle, sin poder del todo llegar a describir, a analizar o a contabilizar su sentido exacto o sus efectos a la larga. Lo único que estaba claro era que había quedado ligado indisolublemente a Ortega.

Le había dolido sacar tanto dinero. Era la primera vez que veía todo aquel dinero en billetes. Su dinero. Y tener que darlo. ¿Para qué? ¿Iba a ser realmente necesario comprar así a Quirós? ¿Lo aceptaría? ¿Cómo es posible que las amenazas de la noche continuaran siendo amenazadoras de día? Nunca creyó que sintiera tanto tener que dar ese dinero. Lo había ahorrado con facilidad. Casi sin darse cuenta. Por tener algo a que echar mano. Porque sí. Quizá por miedo. Y ahora de pronto, al transferirlo a su cuenta corriente, y al sacarlo, se daba cuenta de que había contado con esa pequeña reserva inconscientemente, para una acción futura, quizá unas vacaciones, algo estimulante y nuevo, algo que se sintiera impulsado a hacer por amor y no por miedo. «Toda mi vida —pensó amargamente—, toda mi vida es un monigote arrastrado por el miedo. La pereza también era miedo.» Y no se sentía capaz de envalentonarse ahora, o de reanimarse. Tener que comprar su libertad era la última humillación, la más profunda. Y, al pensar en ella, no pensaba Ortega en Quirós como el causante de su extraña situación, sino sólo en sí mismo. «Todo es interior ahora», pensaba. Y pensar eso le hacía sonreír en medio de su abatimiento, como con una sonrisa que hubiera tomado prestada de otro rostro. Había algo increíble en aquel acto de regresar a su casa con quinientas mil pesetas en la cartera. Algo ridículo, insoportable, como una historia esperpéntica que le estuviera ocurriendo a otra persona. Sentía, en medio de todo, una especie de curiosidad, una como blanca y nítida impaciencia por ver qué ocurriría. Como si no lograra imaginarse del todo a sí mismo llevando a cabo aquel acto inverosímil. Por eso sonreía. De pronto pensó en su hermana, en Hernández. Las dos figuras se entretejían ahora como formando parte de una escena ligeramente incoherente en un sueño. Le hubiera gustado echarse a dormir ahora. Pensó: «Me tumbaré un rato cuando llegue a casa. Cogeré el sueño en seguida. Volverán a representarse con claridad esas dos figuras que ahora, en la vigilia, no deja la conciencia despierta hablarme como en sueños.» Lo único que ahora parecían querer decir las dos figuras entrelazadas era que resultaba vergonzoso no haber pensado nunca en hacer a cualquiera de las dos un regalo así. Pensó: «Si voy a dar todo esto, la mitad de lo que tengo, para librarme de un malestar que yo mismo me he buscado, entonces debería desprenderme ya de todo. Enviarle un talón por lo restante, a mi hermana.» Esta idea le reanimó. Le hizo sentirse menos humillado y menos confuso. Había algo limpio en aquella idea. Al fin y al cabo, desprendiéndose de todo, quedándose sólo con su sueldo, como de joven, podría empezar otra vez. Empezar otra vez. Enviar un talón a su hermana. Telefonear a Hernández. Librarse de Quirós. Librarse de sí mismo. Todo eso aparecía junto, como un proyecto posible, una posibilidad recién descubierta. Se detuvo en medio de la calle. No podía pensar. Sólo dejar que unas emociones sustituyeran a otras, que unas imágenes empujaran a otras. Pensó: «Llevo así muchos años. Entregado a las emociones y a las imágenes. No soy responsable de mí mismo.» Y la emoción dominante ahora era la de que recuperando a su hermana y a Hernández, aunque sólo fuera por teléfono, aunque sólo fuera mediante aquel caprichoso y repentino regalo, estaría salvado. Y, al pensar esto, otra nueva poderosa emoción se abatió sobre él como una gran ola: la cobardía que aquel gesto, aparentemente salvífico, implicaba. No había nada noble o digno en aquel repentino acordarse de dos criaturas que le habían necesitado, que todavía le necesitaban. Todo se reducía a tratar de servirse de ellas para escapar de Quirós. La vergüenza era un círculo vicioso. Y lo vicioso de ese círculo procedía del vehemente deseo que Ortega a todo trance sentía de olvidar y negar lo ocurrido entre Quirós y él.

Quirós le estaba esperando frente al portal. Ortega pensó: «Se

194

ha vestido como la otra vez.» Quirós se adelantó unos pasos para recibirle. Subieron los dos juntos. Ortega no le miraba. «¿Qué te pasa? ¿Por qué no me miras?», le preguntó Quirós. Fue la única frase que mientras subían se cruzó entre ellos. Ortega no sabía qué contestar. No podía pensar ningún pensamiento. Y los sentimientos, las imágenes como hormigas, le devoraban las entrañas burlándose.

—¿Qué te pasa? —repitió Quirós.

Ortega se encogió de hombros. Era un gesto infantil. Un movimiento nervioso. Estaban los dos de pie en la sala, dando vueltas, como dos desconocidos recién llegados a la consulta de un dentista que no saben bien dónde sentarse.

—Algo te pasa. Me estás poniendo a mí nervioso —insistió Quirós. Se sentó en el sillón.

—Te he traído el dinero —dijo Ortega. Y volviendo la espalda a su compañero, abrió la cartera y depositó sobre el escritorio un sobre marrón, cerrado—. Ahí está en este sobre.

—¿No habíamos hecho las paces? —el tono de voz de Quirós era curioso. Era el tono de voz, pensó Ortega, de una persona que trata de disimular precipitadamente sus auténticos sentimientos. Un tonillo demasiado casual. Demasiado dulce. Y a la vez pensó Ortega que al desconfiar y recelar se estaba equivocando. Al fin y al cabo, no había nada especial en aquella pregunta.

—¿No me dijiste que te hacía falta dinero? Lo dijiste el otro día bien claro...

—Bueno, sí. Lo dije. ¿Y qué? Siempre me hace falta dinero...

—Pues por eso...

—Pero, ¿qué te pasa? Estás nervioso. Siéntate. Me estás poniendo a mí nervioso...

—Mira a ver si es bastante —dijo Ortega, casi entre dientes. Sin mirar a Quirós.

Quirós se levantó y se acercó a Ortega, que le daba la espalda en aquel momento. Le rodeó el talle con los brazos. Ortega seguía rígido, sin moverse.

—¿No te vas a quitar la chaqueta? Estás más guapo sin chaqueta, en mangas de camisa...

—Ahí tienes lo que me pedías. Quinientas mil pesetas. Cógelas y vete. Por favor, César.

—Por favor, eso digo yo —dijo Quirós, soltando a Ortega, pero todavía de pie junto a él—. ¿Me estás echando o qué?

Ortega se volvió y le miró a los ojos, sin verle. Estaba empapado de sudor. La cara empapada de sudor. Daba la impresión de que no iba a ser capaz de pronunciar ni una palabra. Quirós le acarició la frente con la mano derecha.

—Estás sudando —dijo Quirós dulcemente.

—No me encuentro bien. Déjame. Vamos a dejarlo.

—¿Dejarlo? ¿Dejar qué?

—Dejarlo. Ahí tienes el dinero...

—¡Deja de hablar ya de dinero! Yo no quiero tu dinero.

—El otro día lo querías...

—El otro día estaba borracho. Ahora te quiero a ti. Dame un beso, anda.

—Hazme un favor, César. Te lo pido por favor. Vamos a dejarlo. Es una situación irreal. Esta situación es irreal. No estoy acostumbrado. No lo puedo resistir... Vete, de verdad...

Quirós volvió a sentarse en el sillón. Encendió un pitillo. Estiró las piernas. Ortega le contemplaba temblando. No era un temblor exactamente, sino como una vibración, un hormigueo. Había palidecido mucho.

—Siéntate en la silla como el otro día. Quítate la camisa. Estás sudando —Quirós se levantó y acercó la silla, y se acercó a Ortega y le aflojó la corbata hasta quitársela y le desabrochó la camisa. Y le quitó la camisa. Le acarició el pecho con las dos manos mientras le empujaba y le hacía sentarse. Luego se quedó detrás de él con los antebrazos apoyados en los hombros y las manos cruzadas por delante a la altura de la boca. Separadas como un palmo de la boca. Le susurró al oído:

—Cuando te pones así me haces gracia. Tienes gracia. Te advierto que nunca creí que así, en frío, me gustaras. Ya no nos podemos separar. ¿Verdad que no? Me vendré a vivir aquí contigo. Que se vayan todos a la mierda. ¿Eh, qué tal?

—Te he traído el dinero. Déjame.

—¿O sea que me estás echando? —Quirós se apartó de Ortega. Dio la vuelta lentamente. Se sentó en el sillón—. Me estás echando. No te comprendo, de verdad.

—¿Qué es lo que no comprendes? —balbuceó Ortega. Hablaba tan bajo que apenas se le oía.

—No te comprendo a ti. No te entiendo. Yo no soy un chorizo...

—Yo no he dicho que seas un chorizo.

—Me tratas igual que a un chorizo. Me traes ahí un dinero. Me pides que me largue. No me miras. Te estoy diciendo que me gustas, joder. Hay montones de tíos y de tías que darían la vida porque les dijera eso. Y tú ni me miras...

—No me encuentro bien, de verdad.

—Es porque tienes miedo. No se lo voy a contar a mi novia. Ni a nadie. Es entre tú y yo. Se me pone tiesa viéndote. ¿A que esto no te lo ha dicho nadie? Tan a las claras, ¿a que no? ¡Mira, tócame, mira! —Quirós agarró la mano derecha de Ortega y se la llevó entre las piernas—. Estás temblando. Da gusto contigo. Nunca he conocido a nadie como tú. Chúpamela y te doy luego por el culo...

Casi le arrastraba contra sus piernas. Ortega se le vino encima. Quirós le sujetó la cabeza entre las piernas, la cara de Ortega contra la bragueta de Quirós. La escena era escolar. Entre escolares. Quirós se sentía realmente excitado ahora. Como sujetando la cabeza de un animal entre las piernas.

—Déjame... —balbuceó Ortega.

Quirós se abrazó a él ahora. Los dos rodaban por el suelo.

Era una escena elemental. La silla se cayó al suelo. Quirós besaba a Ortega en la boca, como a un muerto. Estuvieron así quizá dos o tres minutos. «Ten piedad de mí, ten piedad de mí», decía Ortega una y otra vez. Quirós jadeaba. El mismo estaba sorprendido de la intensidad de sus deseos. «Quiero darte por el culo. Es lo único que quiero. Es lo único.» Y mientras decía esto, jadeante, iba arrancando la ropa de Ortega. Rompió el cinturón por la hebilla. Quirós sentía el peso muerto de Ortega entre sus brazos como un triunfo. Era un triunfo. Y era una novedad. Una sensación que no se parecía a ninguna otra y al ritmo de la cual todo su cuerpo se acoplaba hambriento, ferviente.

—Ponte de rodillas. Baja la espalda, bájala. No te va a doler...

Ortega aulló, mordiéndose las manos hasta hacerse sangre. Quirós cabalgaba sobre el culo de Ortega como un crío. Una escena reproducida casi exactamente así en cualquier colección de fotos pornográficas. No tiene ya la menor gracia. Quirós por fin se ha corrido. Ortega se levanta y se arregla como puede los pantalones. Se pone la camisa. Se sienta en el sillón. Quirós, con los pantalones colgando, va al lavabo. Se oye correr el agua. Quirós regresa a la sala. Enciende un pitillo. Se acerca al escritorio. Examina, sin tocarlo, el sobre, mientras fuma pensativo. Todo es el presente. Para Quirós no hay ya pasado. Ortega piensa: «Tengo yo toda la culpa.» Y la vergüenza nubla todos sus pensamientos como una lluvia de agujas.

—Aquí hay mucho dinero —dice Quirós—. ¿Es esto de verdad medio kilo? Pues no abulta tanto. Nunca he visto medio kilo junto. Voy a abrirlo —Quirós abre el sobre. Medio kilo en billetes nuevos de cinco mil pesetas.

—Nunca he conocido a nadie como tú —dice Quirós—. ¿De verdad me lo regalas? ¿De verdad no quieres que venga más? Tienes que estar loco. Cuando te estaba dando por el culo pensaba que tenías que estar loco. Si no estuvieras loco te hubieras defendido. ¿O es que te gustaba? Yo creo que te gustaba. Y encima, este gesto rumboso. Conmigo has quedao como un señor. ¿Qué quieres que haga ahora? ¿Que me quede o que me vaya?

¿Que vuelva o que no vuelva? Yo, lo que tú digas. Bien, sí que me viene. Y a ti, en realidad, falta no te hace. ¿O te hace falta? ¿Estás cabreao conmigo? ¿Sabes una cosa?: me das pena. Y has tenido suerte de dar conmigo. Porque yo te quiero. A ti te gusta la violencia. Te ha gustao que te castigue. Y yo lo entiendo, ya ves. Lo entiendo todo. Te entiendo a ti muy bien. Hay que hacértelo así, como yo hoy, a lo bestia. Eso es lo que te excita. Como a mí. Entre tíos es así como me gusta. Lo otro, lo suave, es con las tías. ¿A que tengo razón? Por eso, hasta que no me encontraste a mí, no habías follado a gusto. En medio de todo, tienes suerte. Y me voy a quedar con el dinero, como un préstamo. Yo no soy ningún chorizo... ¡Vaya funeral! Aquí no habla ni Dios. Mira, me largo. Nunca, pero nunca, he conocido a nadie como tú...

Se cerró la puerta de un portazo. La puerta de la calle. No podía pensar nada. Logró pensar por fin: «Esto es lo que buscaba, ¿no es esto? Un final feliz.» Salió a la terracilla y miró al sol. Un sol todavía fuerte. Todavía con tiempo por delante. Las losetas de baldosín rojo estaban cálidas como la piel de un animal apacible. Se encaramó a caballo sobre la barandilla, como de niño. Se abalanzó al vacío, ladeado, como un saco de noventa kilos de carne. Ilegible es el sol desvinculador del mundo.

COLECCIÓN COMPACTOS